CranioSacral Healing Technique Unleashed
Understanding the Healing Protocols and Application of the CST

두개천골 치유기법

CST치유프로토콜의 이해 및 적용

두개천골치유기법

CST 치유프로토콜의 이해 및 적용

발 행	2024년 2월 1일
저 자	박준기
펴 낸 이	한건희
펴 낸 곳	주식회사 부크크
출 판 사 등 록	2014.07.15.(제2014-16호)
주 소	서울특별시 금천구 가산디지털1로 119 SK트윈타워 A동 305호
전 화	1670-8316
이 메 일	info@bookk.co.kr

ISBN | 979-11-410-6788-5

www.bookk.co.kr

CranioSacral Healing Technique Unleashed
Understanding the Healing Protocols and Application of the CST

두개천골 치유기법

CST치유프로토콜의 이해 및 적용

박준기

이 책은 두개천골기법(CST)에 처음 입문하는 사람이나 CST에 대해 좀 더 정확한 이해를 추구하는 사람을 위해 쓰였다. 피부미용사, 한의사 그리고 물리치료사 등 다양한 업종의 신체치유에 관련된 직업에 종사하는 이들을 위한 책이다. 피부미용사가 피부만 관리해서는 제대로 된 피부미용을 했다고 할 수 없다. 피부 문제 또한 안에서부터 발생하기 때문이다. 마찬가지로 한의사가 한약과 침구만을 가지고 치료를 할 수 없다. 더 깊은 근원적인 곳의 균형과 통합을 가져와야 하기 때문이다. 물리치료의 경우에도 다양한 모달리티가 있음에도 불구하고 치료에 한계가 있다. 물론 CST가 완벽한 치료기법이라 할 수 없지만 아직 과학이 다 밝혀내지 못한 미지의 영역의 치료방법이기에 도전해 볼 만 하다.

프롤로그

"Primum non nocere, vis medicatrix naturae"

"해를 끼치지 말라. 그리고 자연치유력을 존중하라."라는 히포크라테스Hippocrates의 가장 널리 알려진 가르침 중 하나로 의사medical doctor에게 던지는 경고이다. 사실 doctor의 라틴 어원은 'teacher'란 말로 가르치는 임무를 맡은 사람이다. 질병을 예방할 수 있도록 가르치고 건강을 지킬 수 있도록 가르치는 것이 의사이다. 사회가 선진화될수록 건강에 관심을 많이 가진다. 산업혁명과 IT 혁명을 이을 진실 된 제3의 혁명은 'Well-being'이라는 주장도 있다. 그도 그럴 것이 우리나라만 봐도 공기 정화기, 정수기, 안마의자, 각종 의약품, 전문화된 의술 분야, 줄기세포, 생수, 유기농 식품, 요가 등 이루 말할 수 없는 건강 관련 문화와 서비스 그리고 다양한 제품이 쏟아지고 제공된다. 이전에는 사치였던 것이 이제는 당연시된다. 그만큼 건강의 중요성이 대두되고 있다.

선진화되고 전문화된 의료시스템이 제공되는 시대이지만 절대로 우리 몸을 '치료'에 모두 맡겨서는 안 된다. 치료treatment는 외부에서 우리 신체를 다루는 것이다. 병이 생겼을 때 약을 사용하여 그 '증상'을 억누르는 것이 치료이다. 예를 들어 아토피의 경우를 보자. 약으로 치료를 하는 경우 증상이 호전되지만 그 약을 복용하지 않거나 바르지 않는 경우 갑자기 잠재되어 있던 모든 증상이 터져 나오고 통증은 더 심해진다. 약으로 치료를 하지만 더 이상 증상이 좋아지지 않는다. 그렇다면 어떻게 해야 하는가? '치유'해야 한다.

치유healing는 내부로부터의 작업으로 병을 근원에서 접근하여 없애는 것이다. 치유는 자생력, 즉 히포크라테스가 말하는 자연치유력에 의한 병의 제거이다. 아토피의 경우 어떠한가? 숨을 제대로 쉴 수 있도록 우선 폐의 기능을 회복시켜야 한다. 당연히 횡격막을 포함하여 호흡 근육 발달이 우선시 돼야 한다. 그 다음 먹는 것이다. 우리가 섭취하는 것에서 자생력을 도울 수 있는 에너지적 근원을 제공해야 한다. 병행되어야 하는 것이 몸의 균형과 통합작업으로, 이는 운동처방사나 자연치유사들을 통해 도움을 받을 수 있다.

자연치유력을 향상시키는 다양한 방법 중 하나가 정골의학에 바탕을 둔 치료기법들이다. 그중에서 우리 신체의 가장 근간이 되는 뇌와 척수의 균형을 가져오게 하고 근원적인 에너지를 막힘없이 흐르게 해주는 작업이 있다. 바로 두개천골기법 또는 두개천골요법CST: CranioSacral Technique/Therapy이다. 140여 년 전 스틸 박사A.T. Still, MD에 의해 시작되어 서덜랜드 박사Sutherland, DO가 탄생시킨 두개정골의학CO: Cranial Osteopathy은 훗날 다양한 학파의 두개골과 천골을 바탕으로 한 기법으로 변화되고 체계화되는데 일부 기법을 제외하곤 대부분 가벼운 접촉으로 두개골의 제한을 풀어 신체 전반에 걸친 불균형을 치유하고 통합시키는 기법이다.

본 저서에서는 그간 신비스럽게 다루던 두개천골기법에 대한 기초적인 이론과 구체적인 연습방법 그리고 구체적인 치유기법을 다룬다. 두개천골기법은 모든 증상과 병을 치유할 수 있는 신비한 치유기법이 아니다. 두개천골기법은 단지 신체의 자생력 즉 자연치유력을 통한 치유와 건강 유지를 위해 신체에 균형과 통합성을 가져올 수 있게 해주는 안내자 역할을 할 뿐이다. 여러분이 듣는 많은 두개천골기법에 의한 난치성 '병' 치유 사례는 자연치유력에 의함이다. 두개천골기법은 단지 그러한 자연치유력의 증가를 위한 길을 터주는 역할을 한다. 상처가 났을 때 상처를 아물게 하는 것은 신체이지 약이 아니다. 약은 다른 병균의 침입을 막고 병균의 퍼짐을 막아줄 뿐이다. 새살이 돋게 하는 것을 돕는 것이지 새살을 돋아나게 하는 것은 아니다. 정확히 이해하도록 하자.

이 책은 두개천골기법에 처음 입문하는 사람이나 두개천골기법에 대해 좀 더 정확한 이해를 추구하는 사람을 위해 쓰였다. 피부미용사, 한의사 등 다양한 업종의 신체 치유에 관련된 직업에 종사하는 이들을 위한 책이다. 피부미용사가 피부만 처리해서는 제대로 된 피부미용을 했다고 할 수 없다. 피부의 문제도 안에서부터이기 때문이다. 마찬가지로 한의사가 한약과 침구로만 치유를 할 수 없다. 더 깊은 근원적인 곳의 균형과 통합을 가져와야 하기 때문이다.

두개천골기법은 가족 건강에서부터 환자 및 피시술자의 건강과 심신의 안정을 위해 사용될 수 있다. 이 책의 내용을 벗어나지 않는 한 절대로 위험하지 않은 기법이다. 감각이 발달된 한국인들에게는 더욱 말할 것 없이 쉽게 익히고 쉽게 적용할 수 있는 좋은 기법이다. 비밀과 비법이 있을 수 없는 기법이다. 조금이라도 더 널리 퍼트려 많은 사람이 혜택을 받을 수 있었으면 좋겠다.

1장에서는 두개천골기법의 역사와 철학 및 치유원리에 대해 설명하고 2장에서는 신체에 대한 이해를 돕기 위한 설명을 한다. 치유사 상호간 정확한 커뮤니케이션이 필요할 때가 있다. 이를 위한 내용으로 3장의 해부학적인 접근까지 이어진다. 그렇지만 모든 해부학적인 내용을 다루진 않는다. 두개천골에 필요한 내용만을 담고 있기 때문에 부담스럽지 않을 것이다. 좀 더 정확한 두개천골기법을 시행하기 위해 여기서 멈추지 않고 해부학 교재를 참조하는 것을 추천한다. 4장은 두개천골기법의 이론과 치유방법에 대한 내용을 담고 있다. 아직까지 증명되지 않고 논쟁의 여지가 있는 내용도 일부 언급하고 있다. 이는 치유사들이 두개천골기법을 정확히 숙지하였으면 하는 바람에서 다뤄진 것이다. 이견이 있을 수 있고 이제까지 알고 있던 내용의 근간을 흔들 수도 있다. 하지만 중요한 것은 본인의 치유의사이기 때문에 본 장의 내용을 참고만 하고 넘어가도 무방하다. 5장에서는 두개천골기법을 잘 적용할 수 있도록 스스로 훈련하는 방법을 소개한다. 부록 A. 치유프로세스에서는 기존 프로세스와의 비교를 간략하게 하였고 B. 뇌막 만들기에서는 실질적으로 뇌막의 구조를 만들어 봄으로써 상호긴장막의 중심 부위에 대한 이해를 돕고자 하였다. 물론 해부학적 정확도는 아니지만 충분한 도움이 될 것이라고 믿는다. 또한 독자의 이해를 돕기 위해 직접 그림을 그렸지만 정확도가 전문가 수준이 아닌 점을 양해 바란다. 영어 표기는 될 수 있는 한 자제하도록 하였지만, 두개천골 분야의 내용이 영어 없이는 언급하기가 어려워 병행하였다. 또한, bone과 같이 무수히 반복되는 용어는 생략하였다. 예로, 후두골의 표기는 occiput이지만 많이 사용하는 occipital bone을 본 저서에서는 기본으로 사용하였으며 bone을 생략하였다. 이는 주로 두개골 용어에 사용되었음을 알린다. 또한 '시술사', '치유사', '정골기반치유사' 및 '두개천골기법사'를 모두 '신체를 다루는 사람들'이란 의미에서 혼용하여 사용하였음을 알린다.

아울러 이 책을 낼 수 있도록 인도하여 주신 하나님께 감사드리며 이 책이 나오기까지 인내하고 용기를 낼 수 있도록 옆에 있어준 사랑하는 아내와 딸 그리고 부모님께 감사드린다.

분당 연구소에서 박준기 박사

목차

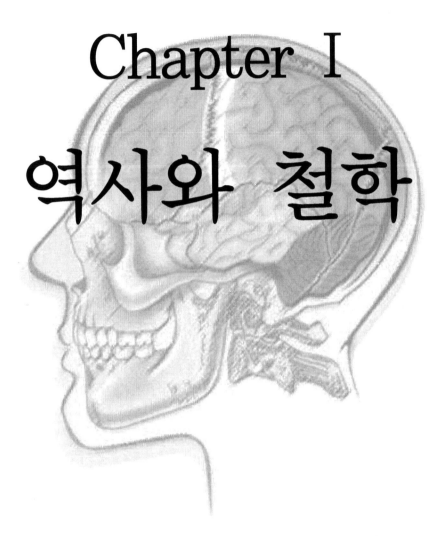

Chapter I

역사와 철학

CranioSacral Healing Technique Unleashed
Understanding the Healing Protocols and Application of the CST

생활이 나아질수록 건강에 대해 지대한 관심을 갖는 것은 어쩔 수 없는 인간의 본능일 것이다. 건강한 삶을 살다 생을 마감하는 것이 어찌 보면 궁극적인 목적일 수도 있다. 물론 보람된 생을 보내기 위해 건강이 필요한 것 또한 사실이다. 이러한 삶의 질 향상을 위해 한 획을 긋는 사건이 바로 정골의학 또는 오스테오패시osteopathy의 탄생이다. 과연 오스테오패시는 무엇인가? 그 '무엇'을 알기 위해 우리는 그 '시작'을 알아야 한다. 인간이 어떻게 시작되었는지, 지구의 역사는 어떠한지, 넓은 바다와 우주를 탐험하는 이유도 모두 우리의 뿌리를 찾기 위해서다. 왜? 아마도 인간에게 내재되어 있는 아직 밝혀지지 않은 무엇인가가 그 '뿌리'를 찾게 프로그램 되어 있어서가 아닐까? 두개천골기법의 근원은 오스테오패시에 있다. 그렇기에 오스테오패시의 '무엇'을 살펴보아야만 하고 그 탄생을 뒷받침하는 철학을 살펴보아야 한다. 여기서는 간단하게 정골의학의 역사를 바탕으로 하여 정골의학 방식의 두개골 중심 치료법의 발전 과정을 살펴본다. 또한 가장 중요한 치료에 관한 정골의학의 철학을 살펴보도록 한다.

역사

　오스테오패시는 의사MD: Medical Doctor인 스틸Andrew Taylor Still, MD, 1828~1917에 의해 미국 캔사스주(州)에서 시작되었다. 그는 1864년 수막염으로 가족을 잃은 후 당시 대증요법의 한계를 벗어나고자 많은 노력을 하였다. 1875년 미조리주(州) 컬크스빌Kirksville로 옮겨 의료행위를 하던 그는 1889년 오스테오패시라는 용어를 사용하기 시작하였고 1892년 미국정골의학대학교American School of Osteopathy를 설립하였다. 의과대학이지만 의사라는 칭호 대신 정골의사(DO: Doctor of Osteopathy - 처음에는 Diplomat in Osteopathy라고 불림)를 사용하여 현재까지도 DO라는 명칭이 사용되고 있다. 스틸은 약물 사용에 대해 강력히 반대하였기에 초기 오스테오패시 의과대학들은 약물사용을 절대적으로 금지하였으며 대신 해부학을 강조한 수기요법에 중점을 두었다. 과학의 발달과 함께 1930년대 중반이 되어 약물사용의 부작용이 줄어들기 시작하면서 약물치료에 대해 강의가 이뤄지기 시작됐다. 현재 DO들은 수술 및 약물치료를 병행하고 있지만, 그 근간은 해부학을 바탕으로 한 수기요법인 것을 잊지 말아야 한다.

　두개cranial 부분의 정골의학을 처음으로 체계화시킨 것은 서덜랜드William G. Sutherland, DO이다. 스틸은 두개골에 대한 정골의학만을 따로 강조하지는 않았기에 두개부분을 따로 치료하는 것이 정골의학인가

하는 의문이 생기지만 서덜랜드는 스틸의 철학을 바탕으로 하여 두개골의 운동성과 두개골 내부 뇌막의 운동성 그리고 그러한 운동성이 신체 전반에 미치는 영향에 대해 의문을 가졌으며 스스로를 실험대상으로 하여 다양한 실험을 통해 두개골이 신체에 미치는 영향에 대해 정리하여 하나의 정골의학 치료법으로 정립하였다. 마치 척추교정의 방법이 여럿 있듯이 두개골의 치료를 좀 더 깊이 파고들었을 뿐이다. 그는 항상 신체의 모든 구조를 인대와 같은 구조로 취급하고 모든 치료를 같은 막_{fascia}성 치료방법 즉 정골의학 방식의 치료방법을 사용하는 것을 선호했으며 마침내 서덜랜드는 두개정골의학 cranial osteopathy이라고 하는 두개골 분야에 특성화된 정골의학을 정리하게 된다. 또한 두개골 정골의학 외에 스틸의 추후 세대들에 의해 다양한 정골의학의 가지들이 생겨나기 시작하였고 치료방법들이 정립되기 시작했다. 두개골정골의학, 두개천골기법, 긴장/역긴장기법 S/CS: Strain/Counter Strain Technique 등 모두 스틸의 정골의학 철학에 바탕을 둔다. 차이점은 서덜랜드의 방식은 단지 두개골에 좀 더 집중하였다는 것이고 두개골 치료를 통해 많은 난치성 문제들을 해결하였다는 것이다.

무엇이 더 우월하다고 할 수 없고 단지 사용법과 사용범위만 다를 뿐이다. 모든 두개골 관련 정골의학 방식 수기요법은 서덜랜드 방식에서 파생되었다고 볼 수 있다. 우리가 흔히 알고 있는 업플레져John E. Upledger, DO방식의 두개천골기법 또한 서덜랜드 방식에서 파생되었음은 자명하다. 응용근신경학_{Applied Kinesiology} 방식의 두개천골기법도 널리 사용되고 있으며 두개골봉합을 중심으로 하는 요법도 사용된다. 현재는 좀 더 적극적인 치료방법인 뇌신경을 직간접적으로 교정하는 뇌신경요법_{CNM: Cranial Nerve Manipulation}과 경막_{dura mater} 자체의 긴장을 빠르게 해소하는 두개풀이기법_{CRT: Cranial Release Technique} 또한 많이 사용되고 있다.

두개골 치료 시 항상 같이 검사하고 치료대상으로 삼아야 하는 것이 천골_{sacrum}이다. 경막을 통한 연계성이 있기 때문이다. 경막에 문제가 생기면 시간차가 있을 수는 있지만 두개골 내막과 척수에 문제가 생길 수 있다는 것이 정골의학의 철학과 일치한다. 즉, 점차적으로 경막의 부착이 끝나는 천골에도 문제가 생길 수 있다. 아직까지 정확한 두개골과 천골의 기전에는 많은 이론과 이견이 존재한다. 하지만 한 가지 확실한 것은 두개골과 천골에 불수의적_{involuntary} 움직임이 있다는 것이다.

업플레져는 미시간주립대학교_{Michigan State University}에서의 다양한 실험을 통해 두개골에서 일어나는 뇌척수액_{CSF: cerebrospinal fluid}의 생성과 분비 그리고 멈추는 것이 주기적으로 일어나며 그에 따른 천골의 움직임도 같이 일어난다고 주장하였다. 그는 이것을 반폐쇄수압두개천골계_{semi-closed hydraulic craniosacral system}라고 명명하고 두개천골리듬_{CRI: Cranial Rhythmic Impulse}이 이에 의해 발생한다고 수장하였다.

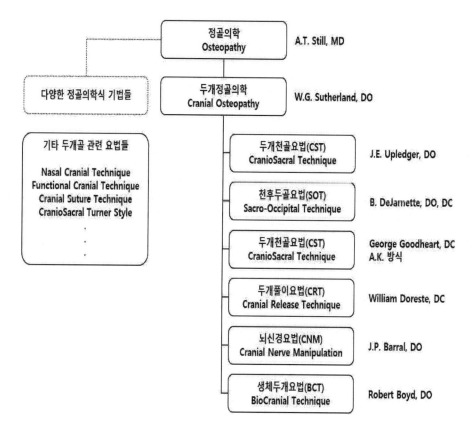

[그림 1-1] 다양한 두개골 중심 수기요법

　　반폐쇄수압두개천골계에 따른 두개골과 천골이 동기화된다는 이론과 함께 그가 정립한 두개골치료방법을 두개천골기법$_{CST}$이라고 명명하였다. 업플레져에 의해 정골의학이 일반인들에게 전수 되었고 가장 널리 퍼지게 되었다. 정골의사들은 정골의학을 의학지식이 없는 일반인들에게 전수하는 것에 반대하였지만 더 많은 사람들이 혜택을 볼 수 있게 하기 위해 반대를 무릅쓰고 두개천골기법을 전파하였다. 일반인에게 전수되는 시스템으로 위험성을 없애기 위해 아주 가벼운 접촉을 강조하였고 그로 인해 두개천골기법을 행하는데 있어 다소 많은 시간이 걸린다는 단점도 있다.

두개천골기법은 업플레져가 먼저 일반인에게 공개하면서 불길 같이 퍼져 나갔지만 여기서도 많은 파생 기법들이 생겨났다. 일부는 업플레져 방식의 두개천골기법에 서덜랜드 방식의 두개골정골기법을 접목시키기도 하였고 아예 서덜랜드 방법만 사용하되 많은 기법을 업플레져의 프로토콜에 맞춰 운용하는 단체도 있다. 사실 어느 쪽이 더 좋은지는 구분할 수 없으며 구분지어서도 안 된다고 사료된다. 치유를 위해 하는 작업이기에 제대로 배워 정확히 사용하기를 바랄 뿐이다. 소위 업플레져 방식의 CST 1단계만 해도 아주 좋은 치유 효과를 볼 수 있으며 그것을 서덜랜드 방식까지 확장하면 기법 자체 및 그 기법의 사용범위가 가히 끝이 없기 때문이다.

철학

독실한 기독교인으로써 스틸은 조물주가 지어놓은 인체는 자가 치유력을 가지고 있다는 것을 믿고 1874년부터 정골의학을 본격적으로 전파하기 시작한다. 스틸은 자연의 완전함에 그 근간을 가지고 있는 것이 정골의학이라고 표현하였다. 즉, 자연의 순환과 같이 신체 전체에 존재하는 순환세의 원활한 흐름에 조섬을 맞추는 것이 정골 의학인 것이다. 우리 신체가 자연의 법칙에 맞게 정렬되어 있다면 건강하다는 것이고 그렇지 않은 경우 병이 생긴다는 것으로 뼈의 정렬과 소프트골격soft skeleton으로 표현되는 근육과 근막 등의 결합조직의 제대로 된 기능이야 말로 건강체의 근간이 된다는 것이다. 1953년 정골의사들은 컬크스빌 선언을 통해 정골의학의 철학을 선언하기에 이른다. 이는 치유원리와 다른 논리적인 개념이다. 스틸은 그의 저서들을 통해 정골의학의 철학과 원리를 전파하였지만 치유원리와 방법에 치중하였으며 그러한 원리와 일부 언급된 철학적인 개념을 후학들이 철학과 원리로 확실한 구분을 하였다.

정골의학의 4대 철학

생명이 있는 곳에는 움직임이 존재한다. 정골의학을 사용하는 치유사는 신체 모든 세포나 조직의 아주 작은 움직임을 '존중' 하고 중요시하며 정골의학의 4대 철학적 원리를 철저히 따른다. 신체의 움직임에 균형이 있으면 건강한 것이고 이러한 움직임이 방해 받았을 경우 여러 건강상 문제가 발생할 수 있다. 정골의학을 사용하는 치유사는 많은 훈련을 통해 발달된 손의 감각을 통하여 신체의 미세한 움직임을 감지하고 정골의학 방식의 수기요법을 통해 이러한 건강상 문제를 치유한다. 질병이란 신체자연 능력이 감소되거나 어떤 주변 환경의 영향에 의해 신체의 기능이 제대로 발휘되지 않을 경우 발생한다. 근골격계의 국소적 장애나 외상 등이 자연 치유능력을 방해하게 되는 것이고 정골의사나 정골기반치유사들은 이러한 방해요소를 제거하거나 기능이 떨어진 신체조직의 자연 치유능력이 제대로 발휘될 수 있도록 도와주는 역할을 한다. 4대 철학이 그러한 치유의 근간이 되는 것으로 정골의학을 사용하는 치유사는 필히 숙지해야 한다.

> **I.** 신체는 하나의 유동적인 기능 단위이다.
>
> **II.** 신체는 자가치유 및 자가조절 기능을 가지고 있다.
>
> **III.** 구조와 기능은 상호 밀접한 연관성을 가진다.
>
> **IV.** 치유는 이러한 철학의 세부 원리에 준해야 한다.

[그림 1-2] 정골의학의 4대 철학

I. 신체는 하나의 유동적인 기능단위이다.

신체는 여러 기능단위 즉, 시스템(계)으로 구성되어 있다. 순환계는 모든 조직과 장기에 혈액을 공급하며 신경계는 신체의 기능을 상호 연결하는 네트워크를 구성한다. 근막이라는 결합조직은 하나의 연속적인 조직으로 신체를 모두 감싸고 있다. 근육, 뼈, 장기, 혈관은 물론이고 신경까지, 머리부터 발끝까지 연결하고 있는 것이 근막이다. 근막은 지지대 역할과 윤활 역할을 주로 하며 순환계, 신경계와 더불어 신체를 연속적인 하나의 단위로 묶는다. 신체의 어느 한 부분도 전체로부터 떨어져 있지 않다. 반대로 신체의 아주 작은 한 부분이 정상적으로 기능하지 않으면 신체 전반에 영향을 미치게 된다. 양말 속에 작은 모래 하나가 있어도 그것을 제거하기 전까지는 걷기가 불편한 경우가 그 예이다. 이러한 철학적인 개념을 이해하게 되면 왜 정골의학 방식을 사용하는 치료사가 통증이 있거나 상해를 입은 곳을 직접적으로 치료하지 않고 두개골과 같은 다른 곳을 치료하는지에 대한 의문이 해소될 것이다. 그렇기에 정골기반치유사는 절대적으로 포괄적인 진단을 할 수 있어야 하며 그것을 위해 해부학과 생리학 등 다양한 공부를 게을리 해서는 안 된다.

II. 신체는 자가 치유 및 자가 조절 기능을 가지고 있다.

신체는 항상 균형을 맞추기 위해 일하고 있다. 눈이 수평을 맞추기 위해 요추나 흉추가 휜 경우 보상작용에 의해 서서히 경추가 휘는 경우를 볼 수 있다. 심한 경우 얼굴에서 비대칭이 나타나기도 한다. 건강한 사람의 혈압, 혈당 및 심박수는 우리가 아무것도 하지 않아도 항상 정상범위에 놓여 있다. 피부에 상처가 난 경우를 보아도 의사가 해줄 수 있는 것은 단지 상처 부위를 깨끗하게 소독해주는 것밖엔 없다. 상처를 아물게 하는 것은 신체고유 기능이다. 스틸이 말했듯이 우리 몸에 모든 약이 존재한다. 신체의 모든 세포 및 조직들은 우리가 인지하지 못할 경우에도 항상 균형을 맞추기 위해 노력하고 있는 것이다. 간단한 예로, 차렷 자세로 가만히 서 있는 경우 두뇌의 90%가 균형을 잡기 위해 노력하게 된다. 모든 근육이 미세하지만 지속적으로 움직이며 끊임없이 균형을 잡기 위해 일을 하고 있는 것이다. 즉, 수평을 맞추기 위해 신체는 계속해서 일을 하는 것이고, 마찬가지로 신체 내부에 문제가 생기는 경우에도 이러한 문제를 치유하기 위해 많은 에너지를 사용하면서 치유작업을 한다. 두개천골기법을 하는 치유사로서 우리가 할 수 있는 것은 바로 이러한 치유가 더 빠르게 그리고 더 효과적으로 일어날 수 있게 도와주는 것이다.

Ⅲ. 구조와 기능은 상호 밀접한 연관성을 가진다.

가장 작은 세포로부터 가장 큰 뼈까지 모든 조직은 살아있으며 지속적인 움직임을 가진다. 혈액은 마르지 않는 강과 같이 지속적으로 흐르고 림프는 배출되며 뇌척수액은 근원적호흡primitive respiration에 의해 출렁인다. 심장은 주기적으로 뛰며 매 호흡에 따라 흉곽은 확장하고 축소된다. 모든 장기는 각기 주어진 기능을 하며 부드럽게 움직인다. 신체의 모든 구조물은 각기 고유의 리듬이 있는데 이것을 치유사가 손으로 느끼는 것이다. 이러한 움직임에 제한이 생기면 조직은 주어진 고유 기능을 제대로 발휘할 수 없다. 고유 움직임에 변화가 생기면 '승상'이 발생하게 되고 병이 생기게 된다. 스틸은 이러한 병을 해부학적 비정상 상태이며 이에 따른 생리학적 부조화가 발생한 결과라고 표현하였다. 예를 들어 깊은 호흡을 하려고 하는데 늑골, 호흡횡격막 또는 척추가 잘 움직이지 않는다면 염증이나 충혈 또는 울혈 등을 제거할 수 있는 림프 배수에 문제가 생기게 된다. 이로 인해 호흡기 감염이나 천식이 발생할 수 있다. 영아들의 중이염 또한 림프배수 문제에 의한 것이다.

또 한 가지 예로, 1917년에서 1918년간 발생하였던 독감에 의해 전 세계적으로 약 3천만 명이 목숨을 잃었다. 미국에서도 마찬가지로 많은 발병이 있었으며 당시 의사들이 운영하던 병원에서는 30~40% 정도의 사망률이 있었지만 정골병원에서는 1%도 안 되는 사망률이 보고되었다는 것은 놀라운 사실이다. 정골기반치유사는 비록 의사는 아닐지라도 신성한 신체를 다루는 작업을 하기 때문에 항상 해부학적 구조와 그 구조의 생리학적인 기능의 연관성의 중요성을 인지하고 학습해야 한다.

IV. 치유는 이러한 철학의 세부원리에 준해야 한다.

철학의 세부원리는 치유원리이다. 예를 들어 동맥을 통한 혈액 공급이 원활해야 제대로 된 영양분과 산소가 말단세포까지 전달되고 정맥을 통한 이산화탄소나 세포가 버리는 노폐물의 배출이 제대로 되며 이를 통해 건강을 유지할 수 있다. 바로 동맥, 정맥의 원리이며 치유원리의 하나이다. 해부학과 생리학의 이론적 근간을 가진 정골 의사나 정골기반치유사들은 정골기법 방식의 수기요법을 사용하여 해당조직의 구조적인 자유, 신체 체액의 원활한 흐름을 회복시키고 이러한 것을 통해 신체의 자가 치유를 위한 최상의 상태를 만든다.

질병치유의 세부원리

대증요법 한계에 의한 대체요법으로 1세기 전에 탄생한 정골의학이지만 신체 자연치유력, 즉 항상성 제고를 통한 건강유지와 치유방법을 제시하였다는 것, 그리고 그 탄생에 깊게 깔려 있는 이러한 4대 철학과 세부원리들은 과학 발달에 의한 현재 대증의학 시대에 오히려 그 빛을 발한다. 소위 난치라는 병들은 약만으로 치유될 수 없다. 오히려 약에 의존하게 되면 신체 고유의 자가 치유능력이 저하될 수 있다. 가장 큰 예로 항생제 남용을 들 수 있다.

염증제거 및 열을 내리는데 있어 항생제보다는 근막이완과 두개천골기법의 제4뇌실압박CV4: compression of the fourth ventricle기법 등이 효과적이고 신체에 부담을 가하지 않는다. 물론 최신 과학을 바탕으로 지속적인 발전을 이룬 약이 치유능력을 향상시키는데 있어 도움이 되고 효율적이다.

하지만 무조건적으로 약에 의존하는 것은 바람직하지 않다. 정골의학 계열의 치유를 하는 경우 필히 이러한 사항을 염두하고 철저하게 4대 철학과 다음과 같은 세부원리를 이해하여야 한다.

1. 질병은 환경에 적응 못 할 경우 발생한다.

2. 치유는 신체의 정렬과 균형을 통해 이루어진다.

3. 육체, 움직임과 마음의 통합을 통해 신체건강을 유지한다.

4. 체성기능장애 제거가 치유의 기본이다.

[그림 1-3] 질병치유의 세부원리

1. 질병은 환경에 적응 못 할 경우 발생한다.

신체는 내·외적 환경에 의해 자가 치유 및 조절능력에 문제가 생기는 경우 발생한다. 내부에서 자가 치유 및 조절기능이 약해지거나 너무 강해지면 병이 발생할 수 있다. 또한 외부에서 침투한 병원균이 신체 내부의 자가 치유 및 조절기능이 처리할 수 있는 용량 이상일 경우에도 문제가 생긴다.

우리 신체가 주변 환경변화에 제대로 적응하지 못하여 문제가 생기는 경우에는 처음 감염으로 신체가 약해지고 그 후 발생하는 추가적인 병균의 침투에 적응할 능력은 더욱 약해지며 더 큰 병이 발생할 수 있다.

2. 치유는 신체의 정렬과 균형을 통해 이루어진다.

질병은 해부학적인 비정상 상태에 따른 생리학적 불균형에 의해 발생하기도 한다. 제대로 된 치유를 하기 위해선 첫째, 뼈의 정렬이 제대로 되어 있어야 한다. 기초 공사가 제대로 되어 있어야 다른 공사가 가능하다. 극단적으로 뼈가 제대로 정렬이 안 된 대퇴두 아탈구subluxation의 경우 주변조직에 문제가 생기고 이로 인해 발생된 염증의 체액이 척추를 따라 올라가 뇌에 영향을 미칠 수도 있다. 이러한 아탈구의 문제는 단순하지 않다. 척추 아탈구의 경우 주변 신경에 영향을 미쳐 관련 조직이나 장기에 영향을 줄 수 있다.

정렬이 중요한 것은 둘째, 체액순환 법칙에 따른다. 체액은 혈액, 림프액, 뇌척수액 및 세포 사이를 채우는 간질액interstitial fluid을 통칭하는 것이며 이러한 체액의 순환이 원활하지 않으면 영양공급과 노폐물 배출에 문제가 생긴다. 즉 체액이 고이면 썩는 것은 당연하며 급성 또는 만성 염증을 일으키게 되며 위축, 외상과 같은 병리 현상이 발생할 수 있다.

셋째, 신체기능 조절을 위해서 신경계의 균형이 절대적으로 필요하다. 신경계는 혈액순환 및 운동과 감각기능에 절대적인 역할을 한다. 상부 3개 경추는 미주신경, 설인신경 및 설하신경과 직접적으로 연계된다. 또한 교감신경은 혈관근육을 조절한다. 교감신경에 의해 심박이 빨라질 수 있지만 미주신경이 제재를 한다. 이와 같이 신성계는 혈액순환에 있어 절대적이다.

넷째, 근막의 균형이 필요하다. 근막의 주요 역할 중 하나는 윤할 및 형태 유지이다. 당연히 근막으로도 체액이 공급되어야 하고 신경이 분포되어야 한다. 이와 같이 네 가지 법칙을 구성하는 체계의 상호 유기적 균형 관계가 건강을 유지하게 한다.

3. 육체, 움직임과 마음의 통합을 통해 신체건강을 유지한다.

동양의학에서 정기신의 통합을 건강의 근간이라고 한다. 정골의학이 정리되면서 스틸의 후학들은 육체body, 마음mind, 정신spirit의 삼위일체의 통합과 균형이 건강이라고 정의했다. 이는 동양의학의 치유원리와 다름이 없다. 하지만 스틸은 그의 저서 '정골의학 철학Philosophy of Osteopathy'에서 육체, 움직임과 마음의 중요성을 강조했다. 해부를 통해 모든 육체의 작은 부위까지 찾을 수 있지만 아무리 해부를 잘한다 하여도 마음이라는 것을 찾을 수 없다는 것이다. 움직임이라는 것은 마음에 의해 육체 각 부위의 통합된 작용이기 때문이다. 정신이라는 개념이 당시 미국 철학에서는 확립되지 않았을 시기였으며 이는 신의 고유영역이라고 여겼기 때문에 정신이라는 고차원적인 개념보다는 우리가 알고 어느 정도 인지할 수 있고 어느 정도 컨트롤 할 수 있는 마음을 건강의 가장 근간으로 하고 있다. 육체와 육체가 만들어 내는 움직임의 근원을 마음으로 보고 있기 때문이다.

이 세 가지의 온전한 통합에 의해 우리가 원하는 것을 이루어 낼 수 있고 완성할 수 있는 것이다. 즉 해부학적인 모든 부분과 생리학적인 작용에 의해 나타나는 움직임 그리고 이러한 모든 것을 시작하고 맺을 수 있는 마음의 삼위일체를 바르게 이어주고 통합하는 것이 치유의 가장 큰 원리이다.

4. 체성기능장애 제거가 치유의 기본이다.

체성기능장애somatic dysfunction는 골격, 골격간의 관절, 신체 전체를 덮는 근막과 움직임을 만들어 내는 근육 등 형체를 만드는 구조물과 이를 그물같이 연결하고 있는 혈관, 신경, 림프, 장기 등의 기능이 손상되거나 외상 등에 의해 변형된 것이다. 중요한 것은 퇴행성 과정에서 발생하는 증상과 염증 과정 및 염좌나 골절은 체성기능장애로 보지 않는다는 것이다. 보통 체성기능장애는 수기요법으로 치료 가능한 수준의 장애를 나타내는 것으로 치료의 효과가 높은 경우이다. 이를 위해 정골의학에서는 'START' 기준을 적용시킨다.

두개천골기법도 START의 법칙을 벗어나지 않는다. 물론 두개천골기법의 경우 자폐와 같은 많은 난치성 질병이나 증상에 효과적이지만 두개천골기법의 정확한 치유근원은 과학적으로 아직 증명하지 못하였고 추론할 뿐이다. 그럼에도 불구하고 START 기준을 두개천골기법에 적용하는 것은 두개골이나 천골이 신체의 일부이고 그것을 벗어날 수 없다는 것이 진실이기 때문이다.

두개천골기법을 통해 두개골과 천골 부위와 그것이 관상하는 부위의 체성기능장애를 제거할 수 있다면 적어도 그러한 체성기능장애로 인한 문제를 제거할 수 있다. 건강체에 한 발짝 더 가까워지는 것이다.

- S(Sensitivity): 민감성으로 통증 부위나 문제가 생긴 부위 또는 그 영향에 의해 다른 부위에 생기는 조직의 민감성의 변화를 확인한다.

- T(Tissue Texture): 이는 조직$_{tissue}$의 질감$_{texture}$ 변화를 나타낸다. 근육의 긴장이 심하거나 체온변화, 위축 등으로 인해 피부의 질감이 변할 수 있으며 이렇게 다른 질감을 찾아내고 그 발생 원인을 추론해 볼 필요가 있다.

- A(Asymmetry): 비대칭성을 의미한다. 정골의학에서 아주 중요시 하는 증상이며 두개천골기법에서도 가장 중요시 하는 균형과 일맥상통한다. 비대칭에 의한 보상작용으로 신체에 만성적인 이상 증상이 지속될 수 있다.

- R(Restriction): 움직임의 제한을 뜻하는 것으로 대부분 관절 가동범위에 제한이 있는 가를 확인하는 것이다. 하지만 대칭성을 감안하여 가동범위를 살펴보아야 하는 것도 필요하고 관절의 움직임 외에 피부와 같은 조직의 점성과 탄성의 제한 및 움직임도 확인해야 한다.

- T(Tenderness): 민감성과 유사한 것이지만 민감한 조직의 느낌보다는 통증이 발생하는 것을 뜻한다. 통증은 상대적일 수 없다. 어느한 명이 느끼는 통증과 다른 사람이 느끼는 통증을 비교할 수 없고

비교해서도 안 된다. 이는 통증이 주관적인 것이기 때문이다. 치유에 있어 절대적인 통증 수준은 피시술자 개별적으로 스스로의 통증 수위에 비교해야 한다.

두개천골기법사는 정골의학에서 파생된 특화된 기법으로 두개천골기법을 시행하는 치유사, 시술자이다. 그렇기에 본 장에서 언급된 간단한 역사와 정골의학의 철학 그리고 그 세부원리를 숙지해야만 한다. 그렇지 않고서는 두개천골기법을 흉내만 내는 것이 되며 남을 이롭게 할 수 없다.

또한 좀 더 두개천골기법과 관련 기법들을 능숙하게 다루기 위해서는 해부학, 생리학, 발생학 등 다양한 의학 이론을 공부하는 것이 필요하다. 특히 해부학의 경우 스틸이 그중요성을 항상 언급할 정도였다. 전체를 알기 위해서는 그 전체를 구성하는 부분을 알고 있어야 하기 때문이고 해부지식을 어느 정도 가지고 있어야 정상과 비정상을 구분할 수 있기 때문이다.

자신의 기술의 우월함을 뽐낼 필요도 없고 다른 기법을 사용하는 치유사를 폄하해서도 안 된다. 이는 무술과 같은 것으로 그저 정진하고 자신을 돌아볼 줄 알아야 한다. '벼는 익을수록 고개를 숙인다.'라는 옛 어른들의 말씀이 두개천골기법을 하는 사람들에게 절대적으로 필요하다 웨일Androw Woil, MD이 언급했듯이 두개천골기법사로서 우리는 다음을 필히 인지하여야 한다.

- **신체는 건강함을 원한다**: 자생력 있는 우리 신체는 절대적인 균형과 통합성을 필요로 한다. 살아있기 때문에 건강함을 원하는 것이다. 순환이 제대로 될 수 있어야 하고 움직임에 걸림이 없어야 한다.

- **치유는 자연의 힘이다**: 치유는 우리 신체에 존재하고 있는 항상성 유지를 위한 일련의 자연스러운 작업이나. 치유의 과정은 통증이 수반될 수도 있고 아무런 증상이 없을 수도 있다. 자연적인 힘에 의한 치유는 증상만을 억제하는 치료와는 질적으로 다르다.

- **신체는 하나의 통합체이다**: 신체는 모든 것이 연결된 하나의 통합체이다. 그렇기에 어느 한 곳에서 발생하는 문제가 다른 곳에 영향을 미칠 수 있는 것이고 영향을 받고 있는 곳에서 증상이 나타날 수 있다. 하지만 증상 발생 부위가 원인제공 부위라고 생각하는 우를 범해서는 안 된다. 신체는 하나로 연결된 통합체이기 때문이다.

- **심신의 일치가 필요하다**: 감정과 마음은 절대로 물리적인 신체를 벗어날 수 없다. 그렇기에 마음이 아플 수 있고 그로 인해 많은 육체적인 문제가 발생할 수 있다. 마음도 육체에서 나오는 것이고 마음이 없는 육체는 죽은 것이기 때문이다.

- **치유사로서 믿음을 가져야 한다**: 심신을 치유하는 두개천골기법사로서 절대적으로 자신이 하는 치유와 기법에 대한 자부심을 가져야 하고 치유의 효과를 믿어야 한다. 어찌 그러한 믿음 없이 치유에 임

할 수 있을까? 당연히 있을 수 없다. 우리는 신체의 자연치유력을 극대화하기 위한 안내자이다. 제대로 안내하고 있다고 믿어야 하고 그렇기 위해서 끊임없는 연구과 수련이 필요하다.

이러한 것을 숙지할 때 우리는 좀 더 나은 세상을 만들 수 있고 고통 없는 세상을 만들 수 있다. 두개천골기법사로서 해야 할 일이 많다. 정골의학의 철학과 치유원칙 그리고 위의 다섯 가지 사항을 항상 마음에 새겨두어야 한다.

쉬어가기: 두개천골기법이란 무엇인가?

우리나라의 정골기반치유사나 대체의학 또는 통합의학에 종사하는 이들이 현대의학 또는 대증요법에 대해 비판하는 것 중 하나가 바로 증상을 정하는 것이다. 물론 대증요법 식의 증상 및 병명을 사용하는 것이 익숙해서, 또한 치유대상들이 그러한 증상 및 병명에 익숙하기 때문에 대증요법을 비판하면서도 사용하는 경우가 많다. 한의학계에서도 현대의학의 증상과 병명을 사용하기도 한다. 현대의학이 붙인 증상과 병명이지만 한의학적 원리와 철학에 입각하여 문제를 풀어나가고 상담하고 약을 처방한다.

우리 신체에서 일어나는 그 많은 증상과 병에 이름을 다 지어주는 것도 참으로 어려운 일일 것이다. 모든 병을 다 밝힌다고 하여 그 병들을 고치기 위해 약을 하나하나 다 만든다는 것도 당연히 힘든 작업이라는 것 또한 부정할 수 없다. 미국에서는 침구사acupuncturist, 자연의사naturopath, 동종요법의사homeopath 들의 인기가 치솟고 있다. 선진화될수록 더 자연스러움을 찾는다는 것이 참으로 신선하지 않은가?

두개천골기법에는 서덜랜드가 정한 장애lesion들이 있다. 현대의학에 비하면 전혀 복잡하지 않은 장애진단으로 장기교정visceral manipulation의 경우도 비슷하게 증상이나 병명은 참고용으로 국한된다. 하지만 스틸의 원리나 기법들을 살펴보면 특별히 장애를 정하지 않았다는 것이 특징이다. 병명이나 증상들을 사용하긴 하지만 이는 아마도 스틸이 의사였기 때문일 것이다. 하지만 어떠한 경우에도 스틸이 주장한 것은 정렬이다. 뼈의 정렬이 우선이고 이를 위해 결합조직의 치료를 해야 한다는 것으로 근막치료가 가장 우선이 된다는 것이다. 그래야만 혈액이 신체 깊숙한 곳까지 갈 수 있기 때문이다.

두개골 중심의 정골기법의 경우 서덜랜드가 창시자이긴 하지만 그가 항상

이야기 했듯이 스틸의 원리와 그 가르침을 벗어나지 않는다. 즉 두개골의 정렬이 우선이라는 것으로 그것을 위해 경막과 근막 등을 포함한 모든 막을 다스려야 한다는 것이다. 마치 **뼈**를 교정하는 카이로프랙틱_{chiropractic}이 **뼈**를 다스리는 것으로 알고 있는 것처럼 두개골정골기법이나 두개천골기법을 두개골을 다스리는 것이라고 생각할 수 있다. 절대로 아니라는 것을 다시 한 번 강조한다. 카이로프랙틱은 **뼈**를 사용하여 척수신경 및 기타 신경을 다스리는 것이고 마찬가지로 두개천골기법은 **뼈**를 사용하여 경막을 다스리는 것이다. 두개천골리듬은 그것을 위한 하나의 툴이다. 마치 악기를 배울 때 사용하는 메트로놈의 역할처럼!

경막의 스트레스가 해소되면 모든 것은 당연히 정렬되게 되어 있다. 이제 무엇을 해야 하는지 명료할 것이다. 두개천골리듬을 맞추는 것이 아니다. 오히려 그것을 사용하는 것이고 그렇게 하다 보면 자연히 균형이 깨진 박자는 자연체 박동으로 변한다. 두개천골기법을 할 때 필히 생각하고 또 생각하여야 하는 부분이다. 점성과 탄성을 이해하면 된다. 그렇게 하기 위해서는 당연히 막을 이해하여야 한다. 모든 신체 수액과 신경, 정맥 및 동맥은 막을 벗어날 수 없다는 것을 말이다. 다들 신체의 다른 부분에서는 근막이완방법을 적용하여 사용하는데 두개천골기법을 하는 경우 무슨 신비한 힘을 사용하는 듯한 착각을 한다.

두개천골기법을 신경학적으로 정의하자면 부교감신경 중심의 치료기법이 된다. 막 중심으로 정의하자면 경막치료기법이 된다. 이와같이 다양하게 두개천골기법을 정의할 수 있지만, 결국 두개천골기법은 중추신경계를 둘러싸고 있는 경막의 기계적, 화학적, 감정적 스트레스를 해소하여 경막의 균형을 회복하고 신체 고유의 항상성을 높이는 막이완 방법의 하나이다.

Chapter II
신체 이해

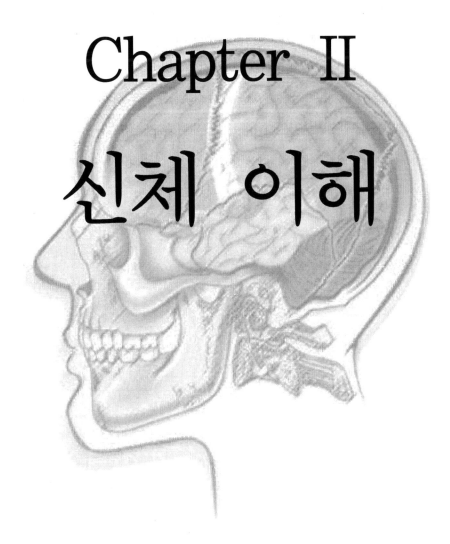

CranioSacral Healing Technique Unleashed
Understanding the Healing Protocols and Application of the CST

정골의학의 철학에서 보았듯이 신체는 자가 치유력과 조절기능을 가지고 있다. 만약 내·외적인 문제로 인해 건강에 이상이 생길 경우 치유사healer로서 신체의 자가 치유력과 조절기능이 제대로 발휘될 수 있도록 도와줄 수 있어야 한다. 이를 위해 정골의학의 한 가지인 두개천골기법을 시행하는 두개천골기법사로서 신체에 대한 다음의 가장 기본적인 사항은 숙지해야 한다.

항상성

　인간 체내에는 체중의 약 60%에 상당하는 수분이 함유되어 있으며 이를 통해 체내의 환경을 일정하게 유지할 수 있다. 이러한 수분은 체액으로 표현되며 이는 뇌척수액은 물론이고 혈액, 세포와 세포 사이를 흐르는 간질액과 림프를 흐르는 림프액으로 구분된다. 건강한 신체를 위해서는 이러한 체액들이 내부적으로 자연의 법칙에 의해 균형을 이루는 것이 아주 중요하다.

　이렇게 우리의 신체가 체내의 환경을 외부의 힘에 의해 변화되는 것을 막는 현상을 항상성homeostasis라고 한다. 체온이 4계절을 통해서 일정하게 유지되는 것도 혈액의 분량이나 혈액 속의 염분이나 당분과 같은 성분의 농도가 일정하게 유지되는 것도 이 항상성 때문이다. 간단하게 말하면 질병은 신체를 구성하고 있는 다양한 부분들이 항상성을 유지 못할 경우 발생한다.

신체의 구성

　인체는 가장 간단한 단위인 세포에서 시작하여 두 개의 세포를 만들기 위해 분열하고, 또 다시 지속적인 분열을 거쳐 복잡한 다세포 생물체가 된다. 세포는 분열과정에서 분화cell differentiation를 거쳐 다양한 세포로 발전하게 되며 새로운 위치로 이동하고 결합하여 조직적인 구조체계를 만드는데 이것이 조직tissue을 형성하게 된다. 조직들은 다시 상호 결합하여 기관organ을 만들고 기관들이 공통의 목적을 위해 모여 기관계organ system를 형성한다.

세포

세포는 운동을 위해 기계적인 힘을 만들어내는 근육세포, 전기적 신호를 일으키고 신호를 전달하는 신경세포, 이온과 유기분자를 선택적으로 분비하고 흡수하는 기능과 신체나 개별 기관을 둘러싸고 관 및 강과 같은 벽 구조를 형성하여 보호기능을 하는 상피세포 그리고 신체구조를 연결하고 고정하며 지지하는 결합조직세포connective tissue cell의 네 가지가 있다. 인간 세포의 일반적인 크기는 $10\mu m$정도로 보통 문장 끝에 보이는 마침표보다 작지만 세포는 일반적으로 [그림 2-1]과 같이 다양한 구조로 형성되어 있다. 세포는 막을 통해 외액과 내액의 교환을 하며 막을 통해 인접한 다른 세포 등에 고정시키는 역할도 수행한다. 두개천골기법을 하기 위해 우리 신체는 이러한 세포로부터 발생되었고 이러한 세포의 합으로 이루어진다는 것과 각 세포의 역할을 통해 움직이고 삶을 영위하고 있다는 것을 인지하고 항상 이미지화시키고 있어야 한다.

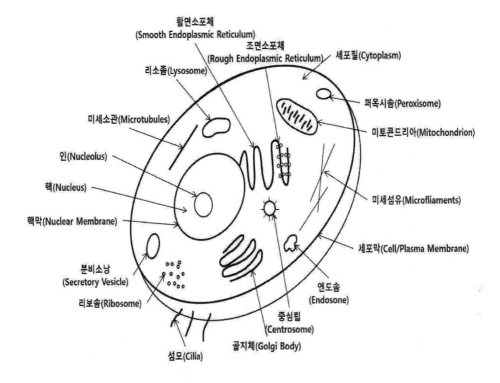

[그림 2-1] 도식화된 세포의 일반적인 구조

조직

세포는 분열과 성장에 따라 분화되어 조직을 만드는데 이는 세포 형태에 따라 근육, 신경, 상피 및 결합조직으로 구분된다. 이는 각 세포의 형태뿐 아니라 기능적인 구분으로 이러한 조직이 신체 전체를 구성하고 있다. 근세포는 횡문근과 민무늬근으로 구분된다. 횡문근은 줄무늬가 있으며 심근과 골격근이 이에 해당한다. 민무늬근은 평활근으로 줄무늬가 없다. 혈관과 같은 근세포가 평활근으로 되어 있다. 심근은 골격근섬유보다 길이가 짧으며 가지를 많이 치고 있으며 세포의 끝과 끝이 개재판으로 연결되어 있다. 평활근과 심근은 체성신경 없이 자율신경만 분포되어 있다.

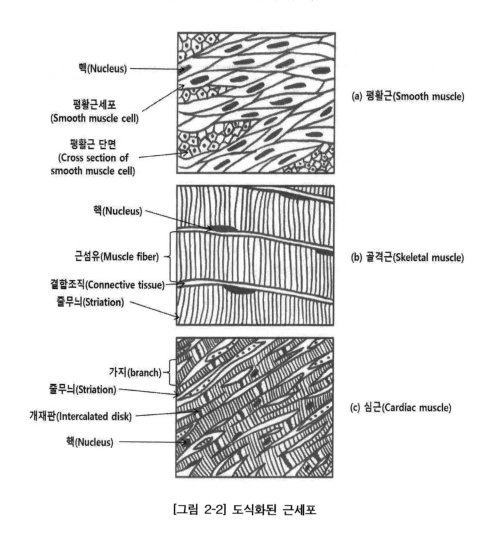

[그림 2-2] 도식화된 근세포

중추신경과 말초신경으로 구분되는 신경은 우리 몸의 움직임과 감각 등 생명활동에 필요한 정보를 전달하는 체계를 가진다. 신경계의 기본단위는 뉴런neuron으로 전기적 신호를 발생시켜 화학적 물질인 신경전달물질을 분비하여 정보 전달을 수행한다. 다음은 도식화된 뉴런의 모습이다.

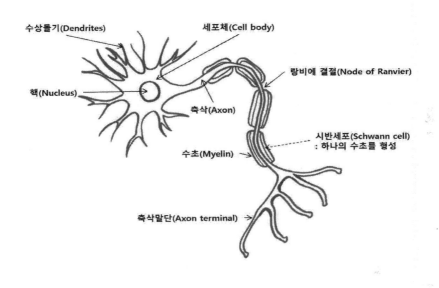

[그림 2-3] 뉴런

상피세포epithelial cell는 주로 조직 표면에 위치하며 보호기능을 하거나 유기분자나 이온을 분비하고 흡수하도록 분화된 세포로 장기 등 신체기관을 감싸고 분비샘이나 위샘같이 관 등의 벽의 구조를 만들며 각 기능에 따라 다양한 모습을 구현한다.

결합조직세포는 [그림 2-2]의 골격근세포 구조에서 보다시피 신

체구조를 서로 연결하고 지지하여 고정시키는 역할을 주로 하는 세
포이다. 결합조직세포는 백혈구, 적혈구, 단핵구의 대식세포나 조직세
포 지방구의 형질세포 및 지방세포, 아메바형 세포인 비만세포 및
섬유아세포(고정결합조직세포) 등 다양하다.

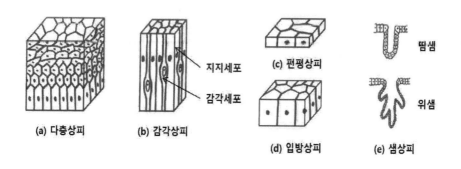

지지세포

감각세포

띔샘

위샘

(a) 다층상피   (b) 감각상피   (c) 편평상피
                              (d) 입방상피   (e) 샘상피

[그림 2-4] 상피세포

각 세포들이 분화되어 기능별로 모여 만드는 것이 조직이며 이
러한 조직이 모여 기관을 형성하게 된다. 조직은 근육조직, 신경조
직, 상피조직 및 결합조직으로 구분되며 각기 세포의 합으로 보면
타당하다. 세포가 있으면 세포와 세포를 연결하는 조직이 당연히 존
재한다. 이는 세포에 영양공급을 하고 정보를 전달하며 세포가 부착
할 수 있는 근간을 제공한다. 세포외 기질은 [그림 2-5]의 결합조직
세포에서 보듯이 섬유아세포가 형성하는 조직으로 밧줄 형태의 교원
질섬유collagen fiber와 고무줄 같은 탄성섬유elastin fiber로 구성된다. 두개천
골기법을 하기 위해서는 이러한 섬유질이 늘어날 때의 느낌을 인지
하고 조절할 수 있어야 한다. 물론 본 저서에 나오는 연습방법을 통

한 꾸준한 연습으로 가능하다.

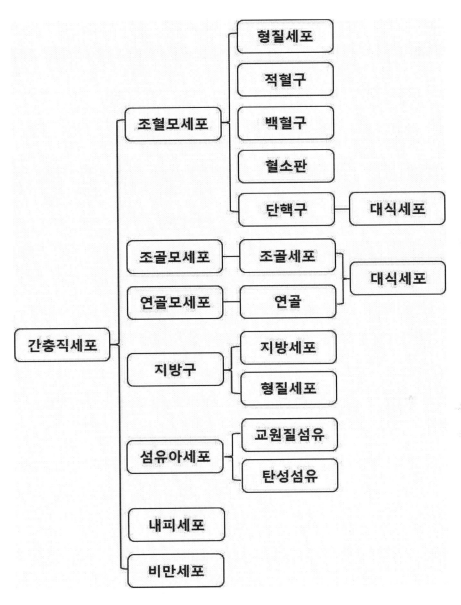

[그림 2-5] 결합조직세포

기관 및 기관계

　세포분화를 통해 기능적으로 통합된 조직이 만들어지고 그러한 조직이 모여 기관을 만든다. 기관 또한 같은 목적을 이루기 위해 통합되어 기관계를 만든나.

　즉 기관은 기능적으로 나뉘게 된다. 예를 들어 신장은 하나의 기관이지만 비뇨기계는 신장, 수뇨관, 방광 및 요도 등을 통틀어 지칭한다.

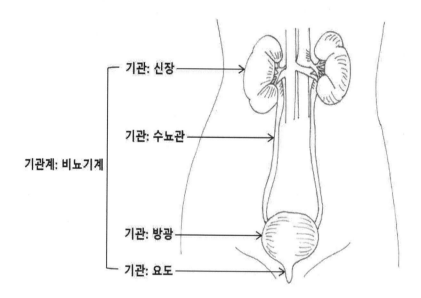

[그림 2-6] 기관 및 기관계(비뇨기계)

신체의 단일 시스템

신체의 단일 시스템으로 가장 넓은 부위를 차지하고 있는 것은 피부일 것이다. 하지만 피부는 신체의 형태만을 만들고 있을 뿐이다. '근막경선해부학Anatomy Trains'의 저자 마이어스Thomas W. Myers는 신경계, 수액계 및 근막계의 경우 해부를 정확히 하여 신경계, 수액계, 근막계만을 따로 떼어낸다면 이는 우리 신체의 형태를 구성하는 것뿐 아니라 내부 작용까지 보여주는 체계라고 하였다.

신경계는 중추신경과 말초신경으로 우리가 받아들이는 정보를 처리하고 전달하는 역할을 하며 수액계는 혈관을 중심으로 하여 신체의 수액이 몸 전체를 순환할 수 있도록 한다. 또한 신경 및 혈관은 물론 근육 등 신체의 모든 기관을 둘러싸고 있는 근막이 존재한다. 근막은 장력이나 압력 등의 신호를 전달하는 역할을 한다고 볼 수 있다.

신경계

근막으로 둘러싸여 있는 신경의 중요성은 이루 말할 수 없다. 신경은 근막이 있는 곳에 분포한다. 즉 신체 전반에 분포한다는 것이다. 신경에 이상이 생기면 주변 근막에 문제가 생기게 되고 이는 도

미노와 같이 확산된다. 만약 신체의 한 부분에 이상이 있다면 그 부분을 다스리는 신경을 치료하면 된다. 적절한 혈액 공급으로 신경에 영양을 우선적으로 제공하도록 해야 한다.

신경계구분

신경은 크게 중추신경CNS: Central Nervous System과 말초신경PNS: Peripheral Nervous System으로 구분된다. 중추신경은 뇌brain와 척수spinal cord이다. 말초신경에는 감각신경과 운동신경이 있다. 이를 각각 구심성afferent 및 원심성efferent로 표기한다. 감각신경은 말 그대로 감각을 중추신경으로 전달하는 역할을 하고 운동신경은 중추신경의 명령을 해당기관으로 전달하는 역할을 한다. 헷갈리지 말아야 하는 것이 바로 말초신경의 운동신경이다.

우선 말초신경계에는 12쌍의 뇌신경과 31쌍의 척수신경이 있다. 이들이 구심성 또는 원심성신경으로 구분되는 것이고 원심성에 체성신경과 자율신경이 있는 것이다. 또한 자율신경계에는 안정과 관련 있는 부교감신경parasympathetic nervous system과 흥분과 관련 있는 교감신경sympathetic nervous system이 있다.

말초신경계는 말 그대로 사지 등 신체의 끝부분까지 연결된 신경계이다. 도로 시스템으로 볼 때, 뇌가 도로 교통상황 통제를 하는 관제탑 역할을 하고 척수는 큰 고속도로로 보면 된다. 말초신경계는 간선도로나 지방 국도로 여기면 된다. 말초신경계는 크게 들어오는 부분과 나가는 부분이 있는데 이를 구심성 그리고 원심성 부분이라고 한다. 구심성 부분은 크게 체성감각신경, 내성감각신경과 특수감각신경으로 이러한 감각신경들을 통해 신체가 느낀 것, 다시 말해 일차적으로 말초신경계의 구심성 부분인 감각신경이 받아들인, 가공되지 않은 정보를 고속도로인 척수를 통해 뇌에 제공한다.

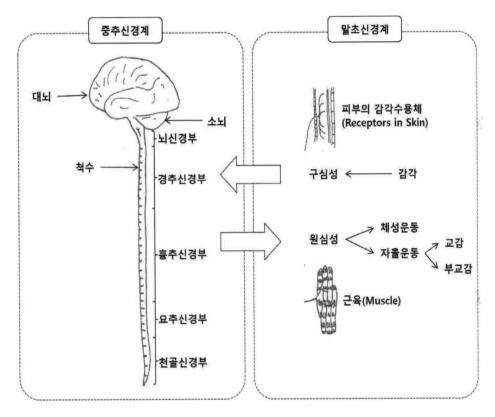

[그림 2-7] 신경계 구분

뇌는 이러한 정보를 가공하고 정리하여 적절한 명령을 신체에 내리게 된다. 뇌의 명령은 대체로 신체를 움직이게 하는데 이는 체성운동신경과 자율운동신경으로 명령이 내려져서 나타난다. 여기서 중요한 것은 자율운동이다. 삶의 영위를 위해 절대적으로 필요한 운동을 하게 하는 것으로 교감, 부교감 그리고 내장성 신경이 불수의적 자율운동을 한다.

　참고로 교감신경은 흉추1번과 요추2번에서 나오기에 흉요신경이라하며 부교감신경은 연수와 천수에서 나오기에 두개천골신경이라고 한다. 다시 말해, 두개천골치유기법은 부교감신경 중심의 치료법이기도 하다. 내장성 신경은 '제2의 뇌'라고 불리는 장관신경계로 뇌와 미주신경을 통해 소통한다. 신체가 안정을 찾기 위해서는 뇌와 장의 소통 역할을 하는 미주신경 중심의 치료가 중요한 이유이기도 하다.

중추신경계: 뇌

　중추신경계의 뇌는 크게 대뇌cerebrum, 간뇌diencephalon, 소뇌cerebellum 및 뇌간brain stem의 네 구역으로 구분된다. 뇌간은 중뇌midbrain, 뇌교pons 그리고 연수medulla로 구성된다. 뿐만 아니라 뇌는 두개천골기법에서 중요시하는 뇌실cerebral ventricles을 가지고 있다. 뇌실은 뇌로 둘러싸인 빈공간으로 혈액이 뇌실 내부의 맥락총choroid plexus이라는 여과기를 거쳐 여과된 뇌척수액으로 채워진 서로 연결된 네 개의 용기라고 생각하면 이해가 쉽다.

전뇌

　대뇌cerebrum와 간뇌diencephalon는 전뇌forebrain을 형성하는데 우리가 소위 알고 있는 신경섬유 다발인 뇌량corpus callosum으로 연결된 좌, 우 대뇌반구cerebral hemispheres로 구성되어 있다. 대뇌 또는 대뇌반구는 회백질gray matter과 백색질white matter로 구성된다. 회백질을 다른 말로 대뇌피질cerebral cortex이라고 한다.

대뇌피질은 크게 네 개의 엽lobe인 전두엽frontal lobe, 두정엽parietal lobe, 측두엽temporal lobe과 후두엽occipital lobe으로 구성된다. 대뇌피질은 인지기능과 추리, 학습, 기억 등을 관여하며 대뇌반구 깊이 위치한 피질하핵subcortical nuclei은 운동과 자세를 잡게 하는 근골격의 움직임을 조절한다.

제3뇌실the third ventricle에 의해 좌우로 나뉘는 간뇌는 시상thalamus과 시상하부hypothalamus로 구성된다. 시상하부는 대뇌피질로 가는 감각신경의 시냅스 중계소 역할을 하며 주의집중 등 각성에 깊이 관여하고 뇌의 극히 작은 부분인 시상하부는 뇌하수체pituitary gland와 직접 연결되어 신경학적, 내분비적 조절을 담당하고 있다.

시상하부는 수분균형, 자율신경계 조절, 먹거나 마시는 행동, 생식기계 조절, 체온조절과 감정적 행동을 하게 하는 등 인간의 생존을 위해 필요한 많은 기능을 담당하는 곳으로 신체의 항상성 조절에 절대적으로 필요한 부분이다.

소뇌

소뇌는 행동조정과 자세 조절 및 신체의 균형을 잡기 위해 중요한 역할을 한다. 즉 신체의 운동에 있어서 절대적으로 필요하며 어떠한 습관을 형성하는 학습에도 관여한다.

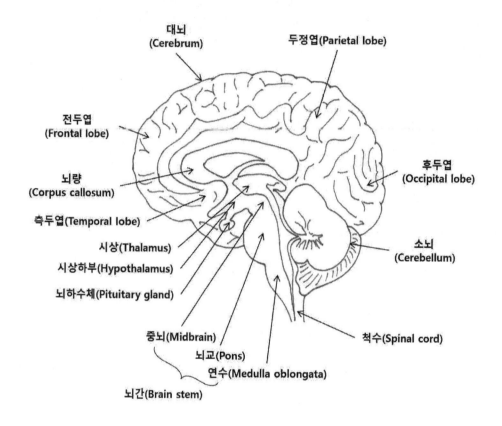

[그림 2-8] 뇌

뇌간

대뇌, 간뇌, 소뇌와 척수를 오가는 모든 신경섬유는 뇌간을 통과한다. 중추신경계의 모든 부위에서 정보를 받아들이고 정보를 가공하여 진행시키는 망상체reticular formation가 뇌간에 있다. 망상체는 운동기능, 심혈관과 호흡, 수면 조절 및 각성과 집중에 관여한다. 특이한

점은 뇌신경cranial nerve 12쌍 중 10쌍(3번~12번)이 뇌간에 연결되어 있다는 것이다.

중추신경계: 척수

척수는 척주 내부에 있으며 주로 신경신호를 전달하는 역할의 중추이다. 말초신경에서 척수로 들어가는 정보는 후근dorsal root을 통해 들어가고 복근ventral root을 통해 정보를 신체에 전달하게 되는데 이 두 근이 합쳐져 척수신경spinal nerve을 형성한다.

말초신경계

말초신경은 크게 뇌신경과 척수신경으로 구분된다. 뇌신경은 12쌍이고 척수신경은 31쌍으로 도합 43쌍의 말초신경이 있다. 척수신경은 경수신경 8쌍, 흉수신경 12쌍, 요수신경 5쌍, 천수신경 5쌍 그리고 미수신경 1쌍을 포함한다. 또한 말초신경의 구조상 말초 부위의 자극을 중추신경으로 전달하는 구심성신경과 중추의 명령을 말초로 보내는 원심성신경으로 구분된다. 31쌍의 척수신경을 구심성과 원심성신경을 다 포함하고 있지만 뇌신경의 일부는 구심성신경만 가지고 있다. 중추신경계로 정보 전달만 하는 눈의 시신경(뇌신경 2번)이 그 예이다. 이는 정보를 전달만 할 뿐 우리가 슈퍼맨에서 보는 것처럼 광선을 내보내거나 정보를 내보낼 수 없는 구조이나.

말초신경계에서 원심성신경은 지배하는 근육 종류가 다른 체성신경계SNS: Somatic Nervous System와 자율신경계ANS: Autonomic Nervous System로 나뉜다. 체성신경계는 골격근의 신경을 지배하는 것을 통틀어 말하는 것으로 중추신경계에서 골격근으로 가는 신경을 뜻하는 것이지만 하나의 시스템이라고 해서 중추신경계와 말초신경계와 다른 신경계라고 오해하면 안 된다. 다시 말하지만 체성신경계는 말초신경의 일부로 중추신경에서 전달되는 정보를 골격근에 직접 전달하는 시스템을 말한다. 마찬가지로 자율신경계는 말초신경계의 일부로 중추신경계의 명령을 평활근과 심장근, 분비선 및 소화계로 보내는 신경 시스템을 말하는 것으로 이것은 우리의 의지로 움직일 수 없기 때문에 자율신경이라고 불린다.

체성신경계는 골격근의 신경을 지배하여 근육 흥분만을 일으키는 반면, 자율신경계는 평활근, 심장근, 분비선 및 소화계의 신경 지배를 관장하며 흥분성과 억제성을 모두 일으킨다. 체성신경계는 중추신경에서 신경 지배를 받는 해당 기관 사이에 단일 뉴런으로 구성되어 있고 자율신경계는 2개의 뉴런 연결을 가지고 있다.

자율신경계는 다시 흉요신경인 교감신경sympathetic nerve과 두개천골신경인 부교감신경parasympathetic nerve으로 구분되는데 교감신경은 심박동과 혈압의 증가, 골격근, 심장, 뇌로 가는 혈액의 양을 증가 시키고 동공확대를 하며 소화계로 가는 다량의 혈액을 줄여서 위험한 상황에 대처할 수 있게 신체를 준비하는 반면 부교감신경은 어떠한 위협도 없는 휴식상태로 소화 등 급하지 않은 일을 처리하게 하는 일을 한다. 교감신경과 부교감신경은 음양 사상에 비유할 수 있다. 하나가 커지면 반대로 하나는 작아지게 된다.

수액계

수분은 모든 혈관 및 신체의 세포 내외에 존재한다. 혈액과 세포를 둘러싸고 있는 공간에 있는 액체를 세포외액extracellular fluid이라고 하며 세포막으로 쌓여 있는 세포내 액체를 세포내액intracellular fluid이라고 한다. 세포외액은 신체 전체 수분의 약 30%이며 세포내액의 수분은 신체 전체 수분의 약 70%이다. 세포외액 중 약 4/5는 세포들 사이에 존재하며 간질액이라고 불리며 세포외액의 나머지 1/5은 혈액의 액체부분인 혈장plasma에 존재한다.

혈관

혈관blood vessel도 그 형태를 유지하기 위해서는 막이 필요하다. 물론 혈관에도 혈액이 공급되어야 한다. 혈액이 원활하게 공급되지 않으면 병이 생기게 된다. 다시 말해 혈관이 건강하지 않으면 문제가 생기게 되는 것이다. 혈액 자체를 건강하게 해야 하는 이유도 있지만 혈관의 기능이 원활 할 경우 건강은 자연스럽게 유지될 수 있다.

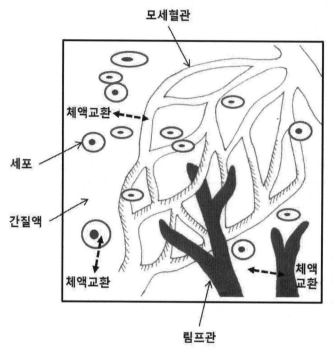

모세혈관

체액교환

세포

간질액

체액교환

림프관

총수분*1/3=세포외액
총수분*2/3=세포내액
세포외액*1/5 = 혈장
세포외액*4/5 = 간질액

체액 교환

[그림 2-9] 신체 체액

정골의학의 근간이 되는 것이 바로 혈액의 원활한 공급이다. 여기서 혈액이라는 것은 신체 수액의 모든 것을 나타낸다. 림프, 뇌척수액, 간질액 그리고 소위 우리가 말하는 혈액(피)을 나타내는 것이다.

심장에서 방출되는 혈액은 좌심실에서 대동맥aorta으로 영양분과 산소를 듬뿍 안고 강하게 뿜어져 나간다. 대동맥은 가지가 갈라져 점차로 가는 동맥이 되고 마침내 머리카락보다 더 가는 모세혈관capillary이 된다

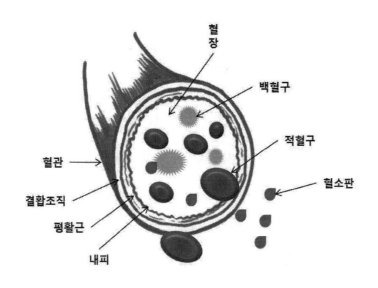

혈장

백혈구

적혈구

혈관

혈소판

결합조직

평활근

내피

[그림 2-10] 혈관 및 혈액

모세혈관은 조직 구석구석으로 퍼져 있어 조직이 버리는 이산화 탄소를 수거하고 산소를 공급하며 노폐물을 수거하고 영양을 공급한다. 동맥artery은 이와 같이 혈액이 맡은 일을 제대로 수행할 수 있도록 길을 제공하고 있다. 이렇게 모세혈관을 통해 수거된 노폐물들은 이제 정맥vein을 통해 점차 큰 정맥으로 흘러들어가 대정맥vena cava으로 모여 심장의 우심방으로 수거된다.

동맥은 가장 안쪽의 내피세포층과 바깥쪽의 결합조직층 그리고 그 두 층 사이의 평활근과 탄성섬유를 포함하는 층이 있다. 가는 동맥의 경우 평활근이 잘 발달되어 있고 굵은 동맥에서는 탄성섬유가 많이 함유되어 있다. 근육이 잘 발달되어 있다는 것은 근막도 풍부하게 존재하고 있다는 것이다. 혈관의 근육이 망가진다는 것은 곧

근막에 문제가 있다는 것과 일맥상통한다.

정맥의 경우 같은 구조이지만 혈액을 급하게 수송해야 하는 동맥보다는 모든 면에 있어서 빈약하다. 정맥의 특징은 혈액의 역류를 방지하는 판막이 혈관에 있다는 것이다. 정맥으로 들어가는 혈액은 흐름이 약해지기 때문에 하지에서 올라오는 하지 정맥류처럼 혈액이 정체되는 경우가 종종 있다. 물론 다리가 붓기도 한다. 또 다른 정맥의 특징은 대정맥의 경우 판막이 존재하지 않는다는 것이다. 머리나 심장 위의 대정맥을 통해 하강하는 혈액의 경우 상관없지만 심장 밑에서 솟구쳐 올라와야 하는 혈액의 경우 힘이 들 수밖에 없다. 그래서 많이 걷고 운동을 해서 근육이 움직여 혈액이 쉽게 올라갈 수 있도록 압력을 가해줘야 한다. 정맥의 경우 빠르게 혈액을 심장으로 돌려보내야 한다. 그렇지 않으면 동맥이 피를 더 높은 압으로 보내기 때문에 모세혈관에 문제가 생기게 된다. 이것은 주변 점막에 혈액을 고이게 하며 그로 인해 근막의 신경이 손상되게 된다. 이러한 자극이 감각신경을 통해 지속적으로 발생하면 심장은 혈액순환을 위해 필요 이상으로 일을 해야 하며 이는 심장에 무리가 가게 한다.

근육으로 이루어져 있는 혈관도 제대로 일을 하기 위해서는 에너지 공급이 필요하다. 즉 혈관에도 혈액이 공급되어야 하는 것이다. 동맥 중 굵기가 작고 혈액의 흐름이 상대적으로 느린 경우 스스로 자신을 통과하는 혈액을 섭취할 수 있다. 하지만 혈액 흐름이 빠른 동맥 즉 혈관의 지름이 큰 동맥이나 노폐물을 나르는 정맥의 경우 신선한 산소와 영양이 공급되어야 한다. 다시 언급하지만 혈관에도 혈액이 공급되는 혈관이 연결되어 있다는 것을 인지해야 한다.

보통 혈압의 15배 이상의 압이 가해지면 혈관이 터진다. 이 정도까지 갈 경우 혈관의 장애가 얼마나 심한지 알 수 있을 것이다. 뇌출혈의 경우도 마찬가지이다. 혈압이 높아져 뇌혈관이 터져 출혈이 생길 정도로 두개에 압을 가하고 뇌막 및 혈관 등 막의 긴장을 높이는 것을 예방하는 많은 방법 중 하나가 바로 두개천골기법이다. 하루 30분 정도의 세션session을 통해 노인들 및 위험군에 있는 많은 사람들로 하여금 건강한 삶을 영위할 수 있도록 할 수 있다.

균형 잡힌 자세가 중요하고 균형 잡힌 생활 습관이 중요한 이유 중 하나가 바로 혈액공급을 원활하게 하기 위함이다. 우리가 어떤 운동을 하는 경우 활동하지 않고 있는 부위, 예를 들어 장기가 활동할 필요가 없다면 장기로 가는 혈관의 직경은 줄어들게 되어 혈액을 다른 곳으로 분배시켜 혈액을 효율적으로 사용한다. 심장에서 압력 또한 조정되어 필요한 부위로 제때 혈액이 공급되게 되는 것이다. 혈액이 공급된다는 것은 바로 치유가 시작된다는 것이다. 정골의학을 활용하는 치유사로서 우리는 신체의 자가 치유력을 높이기 위해 혈액과 같은 수액의 공급과 유통이 원활하게 되도록 길을 만들어 주는 역할을 할 뿐이다.

혈관이 신상하나는 것은 반력이 좋아 혈액의 공급을 원활하게 할 수 있다는 것이다. 심장이 홀로 모든 곳에 혈액을 보낼 수 있는 것은 아니다. 혈관의 수축력이 혈액의 유통과정에 개입하게 된다. 우리가 느끼는 맥이 바로 심장에서 모세혈관으로 가는 길목에서의 파동인 것이다. 동맥경화가 생겨 혈관이 일부 막혀 있다면 그곳을 통과하기 위해 혈압이 높아지고 빨라지게 되지만 혈관의 탄력성이 좋은 경우 부드럽고 일관성 있게 혈액이 흐르게 된다.

혈관은 특히 신경을 포함한 신체 모든 부분에 영양을 공급하기 위해 신체 전반에 고루 퍼져 있다. 고속도로가 간선도로로 그리고 지선으로 그리고 골목으로 바뀌듯 이 영양을 공급하는 도로는 신체 어떤 부위도 빠짐없이 연결하고 있다. 현재 과학으로 볼 수 없는 '길'도 있을 수 있다. 신경도 마찬가지로 신체 모든 부위에 퍼져있으며 나름의 이러한 보이지 않는 '길'을 가지고 있으며 혈관의 보이지 않는 '길'을 통해 영양을 공급 받는다.

혈액

모든 신경과 신체 전반에 영양을 공급하여 우리로 하여금 생각하고 사랑하고 움직일 수 있게 하는 것이 바로 혈액이다. 혈액의 공급은 절대로 멈춰서는 안 된다. 혈액이 공급되지 않는 곳은 죽은 곳이다. 살아 있지 못해 썩게 된다. 혈액은 심장을 떠나서 아주 작은동맥에서도 멈추지 않는다. 혈액의 가장 중요한 임무 중 하나는 신경에 영양을 공급하는 것이다. 신경이 활동을 하지 않는 것은 죽은 것이기 때문이다.

정맥이 막히는 경우 심장으로 피의 공급이 중단된다. 역시 문제가 되는 것이다. 정맥 내 피가 응고되어 막히는 경우를 제외하고 혈액이 제대로 순환되지 않는 것은 주변 근막의 긴장으로 인한 것이다. 물론 판막자체의 기능장애도 한 몫을 할 수 있다. 이는 다 신경이 조절하고 있는 것으로 신경에 문제가 생긴 것이다. 신경이 제대로 다시 그 역할을 할 수 있게 하기 위해서는 적절한 휴식과 영양공급이 필요하다. 바로 혈액이 공급되어야 하는 것이다. 그렇기 때문에 혈액 공급 단절은 건강한 조직세포의 죽음으로 이어지고 이를 통해 마치 먹이사슬이 깨지는 것처럼 전체 신체 항상성에 문제를 일으킬 수 있다.

서울에서 부산까지 3시간 30분이면 도착한다. 기차로 말이다. KTX라는 고속 기관차의 등장으로 인해 더욱 가까워진 느낌이다. 동맥과 같이 KTX는 특별한 선로로 운행된다. 기관차 자체를 혈액에 비유할 수 있다. 기관차가 화물과 승객을 실어 나르듯이 혈액은 여러 가지를 지선을 따라 신체 곳곳으로 다양한 것을 유통시키는 역할을 담당한다.

혈액은 산소와 영양물, 호르몬뿐만 아니라 이산화탄소나 기타 폐기물들을 실어 나른다. 물론 폐기물들은 정맥이라는 '철도'를 통해 운반된다. 스틸은 혈액이 가지 않는 곳에 병이 있다고 했다. 건강한 혈액을 공급할 수 있으면 병이 낫는다는 논리이다. 혈액을 생리학적으로 보았을 때 적혈구와 백혈구가 떠오를 것이다. 적혈구에 의해 산소와 이산화탄소가 운반된다.

하지만 혈액이 운반하는 것에서 종종 간과되는 것은 바로 열이다. 우리 신체가 따뜻한 이유는 혈액이 공급되기 때문이다. 차가운 부위는 십중팔구 병의 근원이 된다. 조직이 움직이지 못하기 때문에 굳어있다는 것이며 이는 신경이 제대로 작용을 못하고 있다는 것으로 혈액이 공급되지 않고 있다는 말이다. 혈액이 공급되면 조직에는 열이 발생한다. 신체 조직이 필요한 양의 열을 사용한 뒤 버리는 열은 혈액이 몸 표면의 혈관까지 올라가서 발산되기 때문에 피부에서 온기를 느낄 수 있다. 물론 땀으로의 열 조절 능력이 있지만 이는 신체전반의 열을 조정하는 것이고 혈액의 열은 국소부위의 열을 조절하는 기능을 갖는다.

혈액은 물 1을 질량 기준으로 할 때 그보다 약간 무거운 1.06으로 크게 무게 차이는 없지만 점성은 물의 5배에 달한다. 어혈을 뽑아내면 더욱 그러한 것을 잘 확인할 수 있다. 끈적거리며 흐르지 않는 피는 젤라틴처럼 굳어 있다. 생혈의 경우에도 신체에서 뽑아내서 가만히 놔두면 투명한 담황색 혈장과 젤라틴 같은 혈구로 구분된다.

혈장의 90%는 물이고 나머지는 섬유소원, 글로불린 등의 단백질, 식염, 무기염류, 포도당, 지질 등이다. 혈구는 적혈구, 백혈구와 혈소판으로 구성된다. 혈액의 양은 당연히 사람 신체에 따라 다르겠지만 보통 체중의 1/13이다. 80kg의 남성의 경우 약 6.15kg이 체중 혈액이 된다.

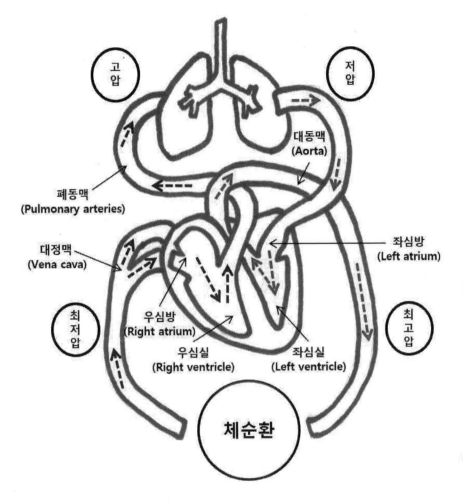

저압

대동맥
(Aorta)

폐동맥
(Pulmonary arteries)

좌심방
(Left atrium)

대정맥
(Vena cava)

최
저
압

최
고
압

우심방
(Right atrium)

우심실
(Right ventricle)

좌심실
(Left ventricle)

체순환

[그림 2-11] 혈액의 순환

혈액이 운반하는 것 중 가장 중요한 것은 무엇보다도 산소이다. 이 산소는 원반형의 적혈구에 실려 헤모글로빈이라는 혈색소에 다시 실려 운반된다. 적혈구는 성인 남자의 경우 1mm^{3}의 혈액 속에 약 500만 기(여성의 경우 450만 개)가 함유되어 있다. 적혈구는 태아의 경우 간장, 비장과 골수에서 생성되지만 태어난 후에는 골수에서 대부분을 만들어 낸다. 적혈구는 생성 후 100일에서 120일 정도 경과되면 생을 마감하게 되는데 일부는 다시 골수로 되돌아가 새로운 적혈구 생산에 사용되지만 대부분 담즙과 섞여 배출된다.

사람마다 상이하지만 백혈구는 $1mm^3$의 혈액 속에 약 7,000개가 있다. 동일인의 경우에도 활동량과 시간 또는 건강상태에 따라 백혈구의 수는 달라진다. 세균을 죽이는 임무를 맡고 있기에 감염되면 더 많은 백혈구가 만들어진다. 적혈구에는 핵이 없고 혈관 안에서 그저 밀려가지만 백혈구의 경우 핵이 있어 스스로 움직일 수 있다. 백혈구는 세균, 불필요한 조직, 이물질 등을 몸속에 잡아넣고 소화효소로 녹여 없애는 일을 한다. 상처에 고름이 생기는 것은 임무를 다한 백혈구가 분비되어 나오는 것이다.

혈액 속의 적혈구는 산소를 운반하는 역할을 하지만 수명이 짧기 때문에 매분 평균 1억8천만 개 가량의 적혈구가 죽는다. 뼈는 이러한 적혈구를 지속적으로 생성하는데 뼛속의 골수에서 이를 담당한다. 이 작용에 문제가 생기면 빈혈이 생길 수 있고 심한 경우 생명에 지장을 줄 수도 있다. 골수는 백혈구와 혈액의 응고를 담당하는 혈소판도 생성한다. 이러한 뼈는 우리 신체에 존재하는 대부분의 칼슘과 인 성분을 함유하고 있다. 칼슘은 심장박동, 혈액응고, 근육수축 및 자율신경계의 원활한 활동을 위해 절대적으로 필요하다. 칼슘 섭취가 부족하면 당연히 뼈에서 칼슘성분을 축출하게 된다. 칼슘이 줄어들어 뼈가 연해지면 휘어지거나 골밀도가 약해져서 부러질 수 있다. 이러한 이유로 혈관은 당연히 뼈에 다량으로 연결되어 있다.

림프

림프계lymphatic system는 간질액에서 나오는 림프액이 흐르는 림프 결절lymph node과 림프관lymphatic vessel으로 이루어져 있는 하나의 체계이다. 모든 기관과 조직들 사이에는 림프모세관lymphatic capillary이 모세혈관처럼 존재한다. 하지만 모세혈관과는 다르게 림프모세관은 림프관이 시작되는 부위로 림프액은 림프모세관에서 림프관을 통해 흐르게 된다. 림프모세관이 조직의 구석구석 존재하여 간질액을 지속적으로 받아들여 림프관을 통해 흐르게 한다. 림프관은 정맥으로 연결되어 단일 방향으로 흘러 심혈관계로 간질액이 유입되게 한다.

정맥과 마찬가지로 림프관은 평활근의 수축에 의해 림프액을 이동시키고 골격근 펌프와 호흡펌프에 의해서도 림프액의 이동을 가능하게 한다. 굵은 림프관에는 역류막이판막이 달려 있어 림프액이 한 방향으로 흐르게 한다. 림프관은 주로 대동맥에 붙어있거나 근육 위에 붙어 있어 호흡, 박동 및 보행과 같은 근육의 움직임이나 장의 연동운동에 의해 압박이 되어 림프액이 흐르게 된다.

달리다 넘어져 팔꿈치나 무릎에 상처가 났을 경우 출혈이 멈춘 뒤 노란색의 액체 방울이 맺히는 경우가 있는데 이것이 바로 림프액이다. 혈액과 다르게 색이 선명하지 않기 때문에 눈에 살 보이지 않는다. 보통 오래 서 있거나 책상 앞에 오래 앉아 있으면 발이 부어 신발이 잘 안 들어가는 경우가 있다. 혈액순환의 문제도 있겠지만 이는 하지의 근육을 움직이지 않아 림프가 고여 붓는 현상이다.

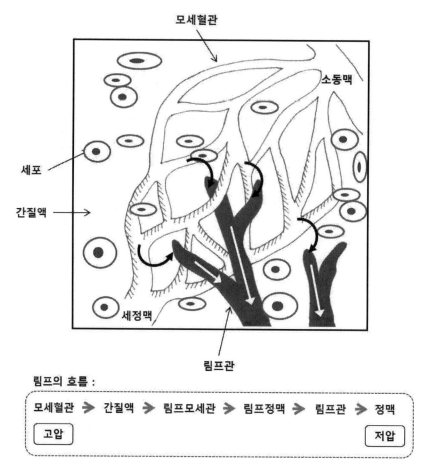

[그림 2-12] 림프구조

림프는 항체를 만들어 세균과 싸우는 것은 물론이고 백혈구의 일부를 만들어 내고 혈관이 제때 흡수하지 못한 영양분, 그중에서도 가장 중요한 단백질을 다시 회수하는 역할도 한다. 세균의 침입을 여과하는 기능에 의해 '임파선염(너무 많은 세균을 잡았거나 세균에게 져서 생기는 염증에 의해 발생)'이 발생하는 곳도 림프절이다. 림프의 또 다른 역할은 점성이 높은 정맥혈을 가볍게 하여 심장으로 다시 공급하는 것이다. 이것은 아주 중요한 사항으로 심장으로 돌아가는 정맥혈의 점성이 너무 높은 경우 심장에 문제가 생길 수 있기 때문이다.

간질액

간질interstitium은 조직 세포들 사이에 액체로 채워진 공간을 뜻하며 간질액은 바로 그사이에 채워진 액체이다. 즉 세포를 둘러싸고 있는 외액이라고 할 수 있다.

뇌척수액

뇌는 뇌척수액에 떠 있다고 보면 이해가 쉽다. 물론 뇌는 두개골 안에 위치하고 뇌에서 나오는 신경다발인 척수는 척주 안에 위치한다. 척주 안쪽 골과 척수 또는 뇌와 두개골 사이에는 뇌척수막meninges으로 둘러싸여 있다. 뇌척수막은 뼈 쪽으로 붙어 있는 경질막dura mater과 중간에 거미막arachnoid mater 또는 지주막 그리고 척수나 뇌에 붙은 연질막pia mater으로 구분된다. 뇌척수액은 윤활작용 및 물리적인 충격에서 뇌를 보호하는 역할을 수행하기도 하며 두개골 내 압력을 일정하게 유지하는 역할을 한다.

거미막과 연질막 사이를 거미막하 공간subarachnoid space 노는 지주막하 공간이라 하면 이 공간에 뇌척수액이 가득 차 있다. 이러한 뇌척수막은 중추신경계를 보호하는 역할도 하지만 뇌척수액을 순환시키고 흡수하는 역할을 한다.

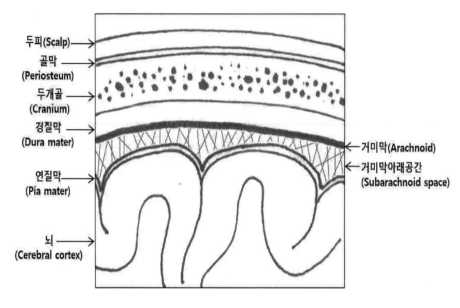

[그림 2-13] 경막구조

뇌척수액은 네 개의 뇌실벽의 맥락총choroid plexus에서 생성되며 뇌간과 뇌실계 사이에 연결된 곳을 통해 순환한다. 뇌척수액의 순환은 호흡계, 순환계 및 자세로 인해 발생하는 압력의 변화로부터 도움을 받으며 두개골 안쪽 즉 뇌 바깥 면의 제일 높은 곳에 위치한 경질막과 거미막 사이의 정맥(혈)으로 들어가게 된다. 뇌척수액의 흐름이 원활하지 않고 막히게 되면 뇌 안에 물이 차는 수두증hydrocephalus이 나타나고 이를 통해 혈액공급이 원활하지 않으면 뉴런이 손상되어 정신지체가 나타날 수도 있고 뇌졸증을 유발할 수도 있다.

혈관 시스템을 통해 맥락총을 거쳐 걸러진 용해질로써 뇌실 시스템의 수액인 뇌척수액이 형성된다. 이러한 뇌척수액은 다시 정맥으로 돌아가는데 이것은 시상정맥동sagittal venous sinus에 집중되어 있는 지주막융모arachnoid villae에 의해 진행된다.

하지만 이렇게 정맥으로 흡수되어 중추신경계 밖으로 배출되는 것 외에도 뇌신경이나 척수신경 뿌리 부위 등 여러 곳에서 빠져나간다. 뇌척수액은 하루 3~4번 새것으로 바뀌는데 이는 곧 6~8시간에 걸쳐 뇌척수액이 생성되고 배출된다는 것을 뜻한다. 뇌척수액의 순환은 맥락총에서 지속적인 분비와 정맥동으로의 흡수 그리고 신체의 움직임과 미세하지만, 경막관 및 경막을 둘러싸고 있는 혈관의 박동, 호흡과 정맥의 압 그리고 우리에게 중요한 두개골의 움직임 등에 의해 서서히 순환된다.

뇌척수액은 혈액에서 투과되기 때문에 혈액과 비슷한 성분인 약알칼리성이지만 적혈구는 걸러지기 때문에 맑고 투명한 액체이다. 뇌척수액의 99%는 물이며 일반 성인 남성의 경우 100~150mL 정도가 척수와 뇌의 지주막하 공간을 채우고 있다. 뇌와 척수에서 생긴 노폐물의 배출도 뇌척수액의 역할이다. 뇌척수액이 불투명한 경우 뇌막염일 가능성이 있고 혈액이 섞여있다면 뇌의 출혈을 의미한다. 뇌척수액의 정상압은 70~150ml이며 이보다 높을 경우에는 여러 질병을 의심해야 한다.

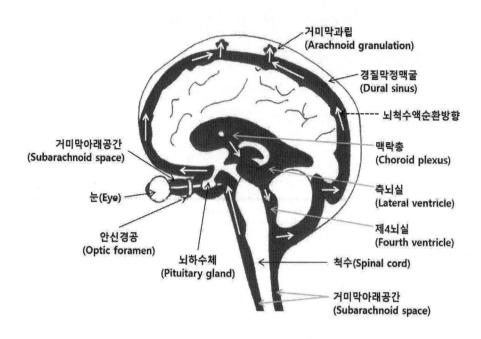

거미막과립
(Arachnoid granulation)

경질막정맥굴
(Dural sinus)

----- 뇌척수액순환방향

거미막아래공간
(Subarachnoid space)

맥락총
(Choroid plexus)

눈(Eye)

측뇌실
(Lateral ventricle)

제4뇌실
(Fourth ventricle)

안신경공
(Optic foramen)

척수(Spinal cord)

뇌하수체
(Pituitary gland)

거미막아래공간
(Subarachnoid space)

[그림 2-14] 뇌척수액 생성과 흐름

막계

스틸은 '정골의학 철학'에서 막fascia을 병이 가장 생기기 좋은 곳
이라고 정의한다. 왜냐하면, 병이 생기기 위해서는 병을 생기게 하는
생명체(바이러스, 박테리아)가 있어야 할 곳이 필요하고 그곳에서 나름 생
명을 유지하기 위해서는 영양분이 공급되어야 하는데 신경, 혈액 등
이 풍부하게 분포된 곳이 바로 근막이기 때문이다. 비약적이지만 절
대적인 사실인 자궁에서 태아로의 영양공급을 예로 들어보면 우리가
수정된 후 모든 영양분이 이 막(자궁막) 안으로 공급되며 이 근막 안에

서 생명이 유지되는 것도 마찬가지이다. 이처럼 막에서 모든 병이 생겨나고 자라나는 것이 막에 관한 스틸의 철학적 견해이다.

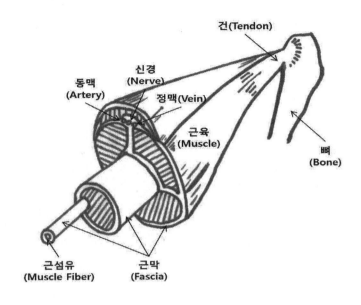

[그림 2-15] 근막

가만히 생각해보면 틀릴 수 없는 견해이다. 해부학적으로 우리의 세포 하나하나가 막으로 둘러싸여 있음은 물론이고 신경, 혈관, 림프관, 근육, 모든 기관들과 섬유조직조차도 막으로 둘러싸여 있다. 그렇다면 신체에 생긴 문제는 막자체를 벗어날 수 없다는 것이고 그렇기에 신체에 이상이 생긴다는 것은 바로 막계에 이상이 있다는 것과 동일어가 된다. 막계라고 표현하는 이유는 우리 신체가 막으로 완전하게 덮여있기 때문이다. 다시 말해 막은 네트워크처럼 신경과 신경을 연결하고 모든 세포와 세포를 연결하고 있다. 막의 작용에 따라 우리가 오그라들기도 하고 뒤틀리기도 한다.

막은 또한 간질액을 분비할 수 있는 섬유들이 풍성하게 존재하고 있기에 막(근막myofascia)은 근육과 근육이 상호 활주할 수 있도록 한다. 막 자체의 가느다란 섬유도 활주가 가능하고 탄성을 가지고 있다. 바로 막으로 덮여있어서 그렇다.

막(경막)은 뇌와 척수 즉 중추신경계를 덮고 있다. 하지만 막이 덮고 있는 것은 이것만이 아니다. 막은 모든 신경계를 덮고 있다. 즉 막으로 모든 신경이 분포되어 있다. 지엽적인 막에 이상이 생긴다는 것은 그 부위의 신경에 문제를 가져올 수 있는 것이고 이러한 신경을 총괄하고 있는 뇌에도 영향을, 그것이 아주 작은 영향일지라도 미칠 수밖에 없다. 그렇기 때문에 막을 다룰 때는 주의를 기울여 다뤄야 한다.

공기로 전파되는 병균을 예로 들어보자. 공기로 전파된다는 것은 폐로 들어온다는 것이다. 병균이 폐로 와서 무엇을 하는가? 폐포의 막에서 공급되는 영양분을 먹으며 전체 막시스템으로 퍼져나가는 것이다. 이렇게 신체 전체에 빠르게 퍼질 수 있는 것도 막이 신체를 뒤덮고 있기 때문이다. 막치료가 중요한 이유가 바로 이것이다. 폐에 병균이 있다고 다른 공급이 끊기는가? 그렇지 않다. 폐는 지속적으로 작용해야 하기 때문에 영양의 공급 또한 끊을 수 없다. 그렇기에 병원균은 자랄 수 있는 것이다.

신체의 막은 우리의 형태를 유지해주는 질긴 결합조직이다. 간이 밑으로 떨어지는 것, 폐나 심장이 터지는 것, 장이 골반으로 떨어지는 것을 막아 주며 신체의 모든 그리고 각 구조를 둘러싸고 있다. 가장 작은 신경 또한 막(신경외막)으로 둘러싸여 있고 가장 큰 뼈도 마찬가지로 막(골막)으로 둘러싸여 있다. 전체 근육의 절반 정도가 상호 간 막(근막)으로 연결되어 근육의 형태나 수축 정도조차도 신체 어느 부위의 어떤 근막이 그 순간 얼마나 수축되었는지 아니면 풀려 있는지에 달려 있다.

막은 여러 방법으로 표현되곤 하였다. 피부 밑에서 우리를 감싸고 있는 신체스타킹이라고 불렸고 관tube속의 관 그리고 그 관속의 관으로 표현되었으며 일관성 있게 반복되는 작은 크기의 봉투처럼 작은 잎몸 또는 조각으로 표현되기도 하였다. 이러한 모든 관점은 적절하다고 할 수 있다. 왜냐하면 표층막은 신체의 스타킹 역할을 하고 있으며 뇌막구조는 관속의 관을 형성하고 있으며 신체의 각 구조는 막의 잎이라고 할 수 있는 나름의 점액성 막으로 덮여있고 나눠져 있기 때문이다. 막섬유의 대부분은 수직적인 방향(머리에서 발로 이어지는 수직선)으로 형성되어 있다. 신체 부위에서 횡으로 형성된 골반, 호흡 횡격막 및 흉곽입구 횡격막들의 막은 몸통의 무제한적인 외측으로의 확장을 막는 역할을 한다.

신체의 막은 하나의 시스템이다. 신체의 어느 한 부위에서 출발하는 막을 통해 다른 부위에 도달할 수 있다. 예로, 대뇌겸falx cerebri에서 시작하여 소뇌천막tentorium cerebelli로 갈 수 있고 후두골의 내부 면을 따라 측두골의 경동맥공_{carotid foramen}에 도달할 수 있다. 이 접속부에서 막에서 벗어나지 않고 계속해서 흉곽에서 심막_{pericardium}으로 변하는 경동맥초_{carotid sheath}를 따라갈 수 있다. 심막의 근막섬유를 따라 호흡횡격막을 통과할 수 있다. 호흡횡격막을 통과한 후 장요근_{psoas muscle}을 둘러싸고 있는 근막을 타고 내려갈 수 있고 이를 통해 골반과 다리로 갈 수 있다. 여기서부터 발까지는 직선으로 내려갈 수 있게 된다.

신체의 어느 부위에서든 막을 통해 어느 부위로든 갈 수 있기 때문에 모든 신체의 구조물들은 막을 통해 연결되어 있다는 것을 알 수 있다. 그렇기에 비정상적인 막의 긴장감은 신체의 생각지도 않은 다른 부위에 전달될 수 있다. 신체가 하나의 막시스템으로 연결되어 있다는 것을 생각하지 못하면 이상할 수밖에 없다.

신체 막은 정상적인 상태에서는 약간의 움직임이 허용된다. 제한이 아주 작거나 없는 경우 막은 생리적이고 아주 작은 신체의 움직임을 만들어 낼 수 있다. 또한 막은 발차기와 같은 아주 큰 움직임을 만들어 낼 수 있고 심장이 뛰게 하고 폐가 확장할 수 있게 하기도 한다.

신체에서의 더 작은 생리학적 움직임은 두개천골계의 굴곡과 신전활동에 따른 신체 전반에 걸친 외회전과 내회전의 리듬적인 움직임으로 막에 의해서 발생할 수 있다. 우리는 호흡과 혈액의 펌핑_{pumping}을 통해 생성되는 신체 전반의 움직임을 막의 반응을 통해 느낄 수 있다. 정골의학 방식의 수기요법을 공부하는 사람은 막을 필히 이해해야 하며 막의 리듬을 익히기 위해 감각을 키우는 능력을 배양해야 한다.

롤프박사$_{Ida\ Rolf,\ Ph.d.}$는 그의 역작 '롤핑$_{Rolfing}$'에서 막을 우리가 입는 옷에 비유한다. 사람의 신체는 인간의 자신을 나타내는 도구일 뿐만 아니라 그 자신이라고 그녀는 표현한다. 우리가 어떤 옷을 입으면 그 옷이 나타내는 메타포적인 행동을 하게 된다. 예로, 정장을 하고 넥타이를 맨다면 좀 더 허리를 세우고 어깨를 펴고 걸을 것이며 힙합 진을 입고 힙합 모자를 쓴 학생이라면 쿨$_{cool}$하게 리듬을 타며 걸어 다닐 것이다. 마찬가지로 우리 몸의 막도 이러한 기능을 가진다고 보면 된다. 하지만 막이 메타포적인 옷의 역할을 하는 것에 앞서 막이라는 옷이 형성되는 이유를 살펴보아야 한다. 단순히 자세의 영향에 의해 막이라는 옷이 생성되는 것은 아니다. 막은 사람이 자신의 생각과 행동패턴을 신체의 생리학적 구조물에 투영하여 만드는 것이기 때문이다.

막의 탄성과 그물망과 같은 구조로 인해 신체 한 부위에 막적인 문제가 생기면 멀리서도 이 탄성에 의해 문제가 있는 부위를 알아낼 수 있다. 스판덱스$_{spandex}$로 만들어진 청바지의 한 부위를 잡아들고 돌려보면 탄성에 의해 모든 긴장감이 그 부위로 모이는 것을 알 수 있다. 예로, 허벅지 부위에서 옷을 꼬집듯이 잡아 돌려보면 누군가 발목 부위에서 옷을 살며시 잡고 있을 경우 그 부위에서 잡아당기는 느낌을 느낄 수 있다. 막이란 바로 이런 진단을 가능하게 한다.

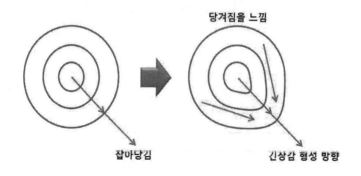

[그림 2-16] 근막의 탄성 및 긴장감

통증유발점인 통점trigger point이나 반사점reflex point이 바로 이러한 막적인 상태에서 가능하다. 장기에 문제가 있을 경우 이것이 발바닥에 상응하는 부위로 나타날 수 있고 측두통의 경우 상부승모근의 통점으로 나타날 수 있다. 또한 단순히 통점이나 반사점 외의 동양의학에서 표현하는 경락과 경혈 또한 막차원에서 같은 방식으로 설명될 수 있다. 경혈과 통점을 잘 살펴보면 많은 부분이 일치하는 것을 알 수 있다. 물론 위치상으로의 일치이며 같은 병리적인 현상을 치료할 수 있다는 것은 아직 연구가 더 필요하다. 하지만 경혈과 통점을 단순히 근육통이나 근막통증증후근 차원의 통증유발점으로 본다면 그 일치하는 것은 80%에 육박한다. 통점은 근육 내에 한 부위가 둥글게 경결점을 형성하는 곳을 가리키며 압을 가하면 당연히 아프고 통증이 멀리까지 방사될 수 있는 점point이다. 이는 근육섬유의 근육원섬유마디sacromere가 단축되며 발생하는 것으로 근막의 비정상적인 수축에 의해 형성되어 통증이 만성화 될 수 있는 부위이다.

콜라겐 섬유로 만들어진 조직인 막은 하나의 큰 장기로 봐야 한다. 천층막은 위에서 언급했듯이 우리 신체 전체를 둘러싸고 옷과 같이 우리가 살아온 과정을 그대로 나타내며 현재 우리의 상태를 표현하기도 한다. 심층막은 좀 더 촘촘히 구성되어 있는 층으로 주로 장기나 근육을 둘러싸고 있다. 피부 및 피부하조직과 수평적으로 형성된 심층막에 의해 천층막이 영향을 받고 형성될 수도 있고 그 반대의 경우도 가능하다. 심리적인 상태의 경우 심층막에 더욱 영향을 미치는 것으로 파악되기에 스트레스나 불안, 강박과 같은 정신 상태에서는 심층막에 영향이 심하게 미치게 되며 만성화되면 우리 외복 즉 천층막을 변형시킬 수 있게 된다. 바로 우리 현재의 모습을 나타내지만 이는 또한 우리 과거의 모습을 투영하고 있게 되는 것이다. 뼈를 단단하게 조이고 움직임을 제한하는 막의 다발을 인대ligament라고 한다. 이러한 막이 근육과 뼈나 연골을 연결하고 있으면 건tendon 또는 건막aponeurosis이라고 한다. 심층막이 뼈와 연결되는 곳은 골막periosteum으로 뼈를 감싸고 있는 막이다. 심층막은 피부하조직 밑에서 신체를 둘러싸고 있는 결합조직이다. 심층막 중 심층근막은 근육을 그룹으로 나누며 각 근육에 신경을 연결한다. 장액을 함유하여 활주가 가능한 장막 또한 막의 일부이며 마찰이 있는 곳에 점액낭bursa을 형성하여 구조물들이 상호 활주가 가능하게 한다. 막은 관설이 움식일 때 건을 잡아주기 위해 지대retinacula를 두껍게 형성하기도 한다.

잠시 용어로 돌아가 보자. 근막은 myofascia로 표기된다. myo가 근육을 가리키는 어미이고 fascia는 막을 가리킨다. 하지만 막으로 표현하는 대신 쉽게 통용되는 근막이라는 용어를 자주 사용한다. 그렇기에 주의해야 할 것은 근막이라는 표현을 단순히 근육을 둘러싸고 있는 막으로만 이해해서는 안 되는 경우가 발생한다. 물론 근육을 둘러싸고 있는 것을 근막이라고 한다. 그렇지만 근막이라고 표현되더라도 우리는 정확히 어떤 막을 가르키는지 주의깊게 살펴야 한다. 이는 경막이 신경의 외막으로 명칭이 바뀌는 것을 보면 쉽게 이해될 것이다. 척수에서는 모든 신경이 척수경막으로 둘러싸여 있다. 하지만 척수다발에서 말초신경 가지가 척수 밖으로 나오면서 척수경막은 이제 신경외막이 된다. 모든 것이 서로 연결된 막이지만 어디에서 어떤 역할을 하는가에 따라 막의 이름이 달라진다는 것이다.

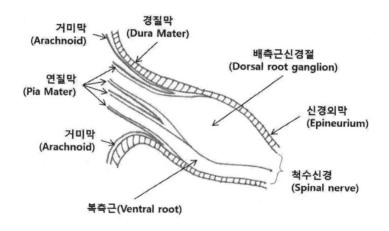

[그림 2-17] 경막과 신경외막

수직 vs. 수평근막

보통 근막은 피부하조직의 결에 따라 또는 근육의 구조에 따라 수직적인 방향으로 막을 형성한다. 하지만 이러한 수직적으로 형성된 근막의 운동성에 제한을 주는 막들이 있다. 바로 횡으로 형성된 횡격막들이다. 횡격막은 보통 호흡 횡격막만을 뜻하는 것으로 알고 있지만 신체에는 내부 장기들을 담는 용기를 형성하는 구조물(막, 근육, 인대 등)들이 호흡횡격막 같이 횡으로 구성되어 있다. 물론 호흡 횡격막처럼 많은 기능을 하는 것은 아닐 지라도 수평적인 근막에 대해 필히 이해하고 넘어가야 한다. 간단하게 말해 횡으로 형성된 근막을 전체적으로 횡격막이라 할 수 있다. 발바닥의 근육층과 그 근육을 둘러싸고 있는 근막도 엄밀히 따지면 횡격막이라고 할 수 있다. 횡격막은 발바닥, 무릎, 골반, 호흡횡격막, 흉곽출입구, 입바닥(턱에서 설골을 거쳐 다른 곳으로 연결되는 근육과 인대들로 구성), 소뇌천막 그리고 안장가로막의 8개로 구분될 수 있지만 보통 골반, 호흡횡격막, 흉곽출입구, 입바닥과 소뇌천막의 5가지를 주로 다룬다. 구강 작업을 통한 입바닥의 경우 통증을 수반하고 피시술자가 수치심을 느낄 수 있기 때문에 풀기를 할 때 자주 사용되지 않는다. 소뇌천막은 두개천골기법의 두개골접촉 시 촉진과 동시에 치유하기 때문에 이도 따로 언급되지 않는다. 그렇기에 주로 치유 시 사용되는 풀기기법은 골반, 호흡횡격막과 흉곽출입구의 3가지만을 언급하는 경우가 많다. 본 서서에서는 8개의 횡격막을 모두 다루기로 한다. 소뇌천막의 연속선상에 있는 터키안_{sella turcica}을 덮고 있는 안장가로막_{diaphragm sellae}은 뇌하수체_{pituitary gland}를 둘러싸고 있으며 우리 신체의 내분비계를 조절하는데 있어 아주 중요한 역할을 한다. 이곳의 긴장 또는 기계적 및 화학적 스트레스는 접형골과 소뇌천막을 활용하여 풀 수 있다.

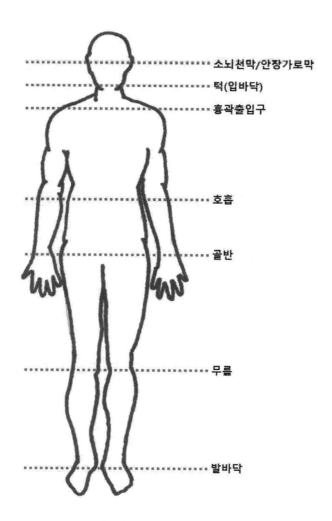

소뇌천막/안장가로막
턱(입바닥)
흉곽출입구
호흡
골반
무릎
발바닥

[그림 2-18] 8개 횡격막

쉬어가기: 대화의 법칙

언제 대화다운 대화를 해보았는가? 그 대상이 누군가를 떠나서 말이다. 보통 대화가 통했다 또는 말이 통했다고 표현할 때는 상대방이 나의 이야기를 제대로 들어주었고 공감대가 형성되어 만족함을 느끼기에 나도 상대방에게 마음을 열 수 있다는 안정적인 기분이 풍선처럼 부풀어 올라가 있는 상태이다. 이렇게 되면 오래 전 사회가 형성되어 언어가 사용된 시절부터 긴 시간에 걸쳐 형성된 자연스러운 질서에 따른 대화의 법칙이 성립되었다고 할 수 있다.

비록 입으로 전하는 것은 아니지만 눈 맞춤, 포옹, 손잡기 등의 소통 또한 마찬가지로 대화의 법칙을 따르게 된다. 즉, 상대방으로 인해 안정된 기분이 풍선처럼 부풀어 오르면 되는 것으로 위로를 받을 때는 특히 표현에 한계가 있는 말보다는 다른 방법의 소통이 대화를 이끌어나가는 데에 있어 더욱 효과적이다.

소위 말하는 '상담가'는 상대의 마음을 읽어낼 수 있어야 한다. 분석이라는 이름의 여러 기법을 사용하여 상대와 대화할 수도 있겠지만 이는 자연스러운 대화의 법칙을 무시하는 처사일 것이다.

업무적으로 상대를 분석하고 그 결과에 따라 반응하는 것은 어느 정도 필요하겠지만 진실한 소통이라 할 수 없고 궁극적인 대화라고 할 수 없다. 그것은 단지 일방적인 '상담가'다운 '치료'에 가까운 것이다.

나에게 '상담', '치료'라 함은 우월함과 권위적인 단어이다. 나는 누군가를 '상담' 또는 '치료'하지 않는다. 나는 상대방과 대화하기를 원할 뿐이다. 비록 상대가 '상담' 또는 '치료'를 원한다고 한들 그것은 자연스럽지 않기에 피하게 된다.

손을 들고 횡단보도를 건너는 유치원생들에게서도 배울 게 있다. 그들은 그냥 말을 한다. 그런데 서로 알아듣는다. 희한하다. 그들은 서로 하는 말을 평가하지 않는다. 나 또한 내 대화 상대에 대한 평가를 하지 않는다. 대신 나는 상대방과 눈을 마주한다. 손을 잡는다. 손으로 머리를 감싼다. 그리고 진지하게 듣는다. 어느새 나는 유치원생이 된다. 이것이 내가 유치원생들에게서 배운 대화의 법칙 이다.

Chapter III

해부학적 접근

CranioSacral Healing Technique Unleashed
Understanding the Healing Protocols and Application of the CST

본 장에서는 두개천골기법을 위해 필요한 해부학적 관점에서 접근한다. 깊게 들어가면 생리학적 관점까지 접근하게 되지만 여기서는 해부학적 접근을 두개천골기법과 관련된 구조만으로 한정한다. 물론 두개천골기법에 한계를 정하는 것은 타당하지 않다. 즉 본 저서에서 인급되는 해부학적 내용을 좀 더 깊이 들어가기 위해서 두개천골기법사들은 해부학 교재를 참조하여 구조와 기능의 상관관계를 연구할 필요가 있다.

움직임을 위한 용어정리

해부학에서 사용하는 기본적인 용어정리부터 시작하자. 이를 통해 다른 이들과의 의견교환 및 교육 등에 있어 상호 혼동하는 것을 예방할 수 있다. 움직임, 방향을 정하는 것이 우선이 되는데 이를 위해 기준을 굴곡으로 삼도록 한다. 이는 태아 상태로 있는 자세이다. 이것을 기준으로 삼으면 굴곡과 신전을 혼동하지 않을 것이다.

모든 움직임은 근육에서 나오지만 관절이 있기에 자유롭게 움직일 수 있다. 굴곡은 기준되는 관절각이 좁아지는 것이고 신전은 관절각이 커지는 것이다. 하지만 그 각의 기준을 잡는데 있어 혼동이 있을 수 있어 기준을 태아자세로 잡도록 한다. 두개천골기법에서도 일반적인 뼈들과 마찬가지로 두개골간의 굴곡, 신전, 회전, 뒤틀림 및 압박과 같이 뼈의 움직임을 표현한다.

우선 몸에서 위치를 살펴보도록 한다. [그림 3-1]에서 보듯이, 머리쪽을 두측 또는 상방이라고 하며 영어로는 두개쪽cranial 또는 위쪽 또는 상방superior 또는 머리쪽cephalad이라고 한다. 반대로 발쪽을 미측caudal 또는 하방inferior이라고 한다. 몸의 중심으로 향하는 것을 내측medial 또는 안쪽이라고 한다. 반대로 바깥쪽으로 향하는 것을 가쪽 또는 외측lateral이라고 한다. 배쪽ventral은 정면anterior이라고 표현하고 등쪽dorsal은 보통 후면posterior이라고 표현한다.

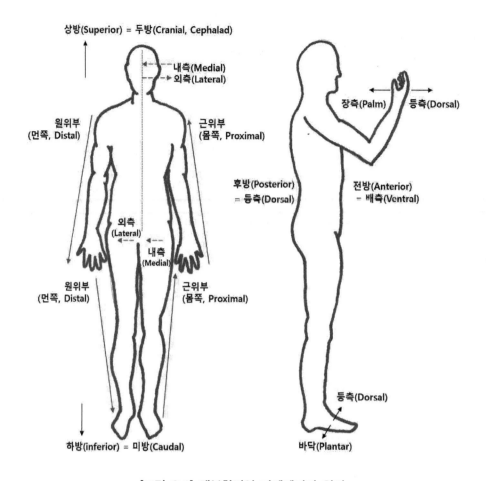

[그림 3-1] 해부학적인 자세에서의 위치

　　손바닥 쪽을 장측palmer이라고 하며 손등 쪽을 배측dorsal이라고 한
다. 발은 발바닥 쪽plantar과 발등측dorsal으로 표현한다. 몸통으로 가까워지
는 것을 근위proximal라고 하며 멀어지는 쪽을 원위distal라고 한다. 이러
한 용어는 우선 해부학적 자세를 기준으로 하고 상대적이라는 것을
알아야 한다. 해부학적 자세는 손바닥이 앞을 향하고 있으며 손이
옆구리에 붙어있는 자세이다. 손가락의 경우 지문 부위가 있는 마디

는 원위마디이고 손바닥 쪽에 가깝게 있는 마디는 근위마디이다.

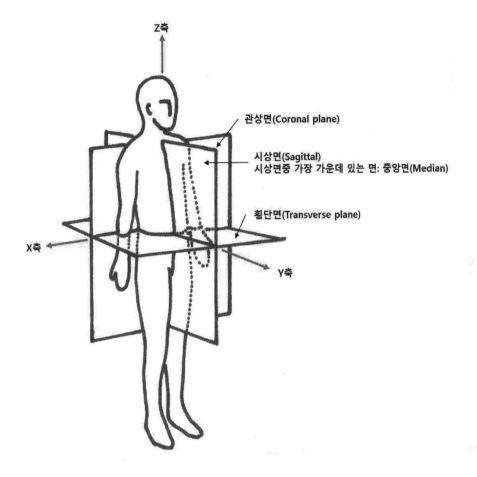

[그림 3-2] 신체의 면과 축

    신체는 3차원적인 면상에서 존재한다. 시상면sagittal plane은 신체를 좌우로 나누는 면이다. 이중 가장 가운데 있는 면을 정중면median plane 이라고 한다. 신체를 앞뒤로 양분하는 면은 관상면coronal plane이고 신체를 상하로 양분하는 면을 수평면horizontal plane 또는 횡단면transverse plane이라고 한다. 당연히 이 면을 이루는 축이 같이 존재한다.

[그림 3-2]에서 보듯이 면으로 구분되는 것은 축이 존재한다. Y축은 관상면을 뚫고 지나오는 축이다. Z축은 횡단면을 뚫고 지나가는 축이고 X축은 시상면을 뚫고 지나간다. 마찬가지로 X축과 Y축이 형성하는 면이 횡단면이고, Z축과 Y축이 형성하는 면이 시상면이며 X축과 Z축이 형성하는 면이 관상면이다. 이렇게 축과 면을 통해 3차원적인 신체 표현이 가능하다.

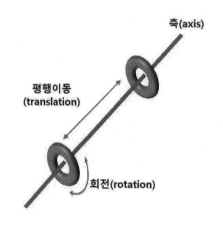

[그림 3-3] 축에서의 움직임

축에서는 두 가지 움직임이 가능하다. 축상에서 평행이동translation이 가능하고 축을 중심으로 회전rotation을 할 수 있다. 두개천골기법을 하기 위해 필히 알아두어야 하는 개념이다. 보통 축을 X, Y, Z축으로 나누어 입체적인 수기요법 적용 시 힘의 벡터vector를 표현한다.

두개골에서 축은 보통 근접하는 두개골과의 관계에서 형성된다. 개별 두개골마다 움직임의 축이 있을 수 있고 두 개 이상의 두개골의 합이 만드는 축도 존재한다. 치유를 하기 위해서는 일반적인 두개골의 움직임을 정확히 이해하여야 하며 축에서의 움직임에 대한 개념 또한 확실히 알아야 한다.

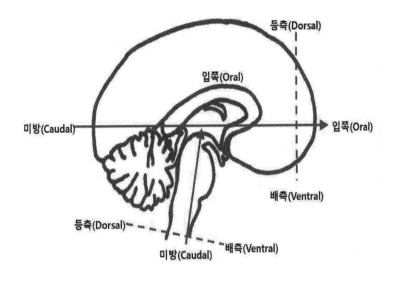

[그림 3-4] 뇌의 축과 방향

두개천골기법을 위해 뇌의 축과 이를 기준으로 한 방향에 대해 알아두어야 한다. 다음 그림은 뇌를 중앙면(시상면)으로 자른 그림이다. 용어는 발생학적 기준에 의해 표현된다.

여기서 중요한 것은 두개천골기법에서는 뇌신경 작업을 할 경우에 이러한 방향을 사용한다는 것이다. 체간 용어만을 사용하는 것이 오히려 혼동을 방지할 수 있지만 좀 더 정확한 작업을 위해 이러한 뇌의 축과 방향을 이해하는 것이 바람직하다. 두 개의 축으로 구분되며 하나는 뇌를 수평으로 자르는 축이고 하나는 뇌간을 따라 형성된다.

뼈

우리 몸은 206개의 뼈로 구분된다. 물론 사람에 따라 몇 개 더 있거나 모자를 수 있다. 해부학에서 정의하는 것이 206개라는 것으로 뼈는 머리부터 발끝까지 우리 몸을 지지하는 구조물이라 할 수 있다. 뼈는 아래 표와 같이 구분될 수 있다. 두개skull/cranium, 즉 머리 부분은 내장두개골vis02erocranium과 신경두개골neurocranium로 구분될 수 있다. 전체 두개골은 모두 28개의 뼈로 구성된다.

그중 귓속에 있는 6개의 뼈도 포함된다. 두개골에 포함되지는 않지만 목 부위에 아주 중요한 설골hyoid도 1개 있다는 것을 잊지 말아야 한다. 척추에는 총 26개의 뼈가 있고 흉곽에는 총 25개, 상지에 64개 그리고 하지에 62개로 인종, 남녀노소를 불문하고 총 206개의 공통적인 뼈가 있다.

구분			뼈이름	개수	합계
뼈 (Bone)	두개골 (Cranium)	내장두개골 (Viscerocranium)	관골(zygomatic)	2	28
			누골(lacrimal)	2	
			비골(nasal)	2	
			하비갑개 (inferior nasal concha)	2	
			서골(vomer)	1	
			상악골(maxillae)	2	

			하악골(mandible)	1	
			구개골(palatine)	2	
		신경두개골 (Neurocranium)	접형골(sphenoid)	1	
			두정골(parietal)	2	
			후두골(occipital)	1	
			측두골(temporal)	2	
			전두골(frontal)	1	
			사골(ethmoid)	1	
			귓속뼈 (auditory occicles)	6	
	설골(Hyoid)		설골(hyoid)	1	1
	척추 (Vertebra)	경추(Cervical)	C1 ~ C7	7	26
		흉추(Thoracic)	T1 ~ T12	12	
		요추(Lumbar)	L1 ~ L5	5	
		천골(Sacrum)	S1 ~ S5	1	
		미골(Coccyx)	coccyx	1	
	늑골/흉골(Rib/Sternum)		R1 ~ R12	24	25
			흉골(sternum)	1	
	상지(Upper Limb)		견갑골(scapular)	2	64
			쇄골(Calvicle)	2	
			상완골(humerus)	2	
			척골(ulna)	2	
			요골(Radius)	2	
			완골/손목뼈(carpals)	16	
			장골/손바닥뼈 (metacarpals)	10	

		지골(phalanges)	28	
	하지(Lower Limb)	대퇴골(femur)	2	62
		슬개골(patella)	2	
		경골(tibia)	2	
		비골(fibula)	2	
		발목뼈(tarsals)	14	
		중족골(metatarsals)	10	
		지골(phalanges)	28	
		골반(pelvic)	2	
전체 뼈 개수				206

[표 3-1] 신체구성: 뼈

하나도 간과할 수 없는 이 많은 뼈 중에서 두개천골기법을 위해서 색이 칠해진 부분에 언급된 뼈에 중심을 둔다. 두개천골기법에서 일반적으로 관심을 갖는 뼈는 총 22개의 내장두개골과 신경두개골이지만 여기서는 내장두개골보다는 신경두개골, 설골과 천골에 집중할 것이다.

두개천골기법에서는 가장 중요한 접형골과 후두골을 기준으로 하여 전두골, 두정골, 측두골 및 하악골을 다루는 기법을 익히게 된다. 이는 [그림 3-5]에서와 같이 측면과 정면 및 하부면에서 위치를 확인할 수 있다. 이러한 두개골들은 봉합에 의해 상호 퍼즐처럼 맞춰져 있다. 접형골은 전두골, 두정골 및 측두골 등과 관절을 형성하고 있으며 내부로 사골과 서골로도 연결된다. 접형골에는 뇌하수체를 보호하는 터어키안이 위치하고 있고 많은 뇌신경이 접형골을 중심으로 확장된다. 또한 접형골은 구개골과 연결되어 상악에 영향을 끼치기도 한다. 뿐만 아니라 접형골과 후두골간 형성하는 접형후두연접부SBJ:sphenobasilar junction는 두개천골에서 가장 중요하게 생각하는 관절을 형성한다. '어떤 힘'(이 힘에 대한 다양한 이론이 있다)에 의한 접형골의 움직임은 다른 두개골들에 영향을 미친다.

대증의학에서는 두개골의 움직임이 없다는 것이 정설로 받아들여지고 있지만 정골의학이나 기타 대체의학에서는 두개골의 미세한 움직임을 인정한다. 스틸이 언급했듯이 구조가 기능을 주관하기 때문이며 다양한 논문이 이를 증명하고 있다. 뇌압이 올라가거나 근육의 수축 등에 의해 두개골간의 움직임이 생긴다. 두개골간 서로 압박이 있거나 염전상태가 발생하게 되면 두개골에 부착된 내부 조직이나 뇌, 신경 등의 장기에 문제가 발생할 수 있다.

한 예로 외익상근의 상부조직의 구축이 계속되면 접형골에 영향을 미치게 되고 극단적으로 비염과 같은 문제를 발생할 수 있다. 이와 같은 비염유사증상은 약으로 치료하는데 한계가 있다. 염증이 약효에 의해 잠시 약화될 뿐이고 분비물을 유발하는 긴장상태는 지속적으로 일어나기 때문이다. 약에 대한 내성이 생기는 것 또한 부작용 중 하나이다.

외익상근을 풀어서 내부결합조직들의 수축을 만드는 접형골의

위치이동을 풀어주거나 직접 접형골 교정을 하여 관련 근육들을 풀
어 이러한 증상을 해소할 수 있다.

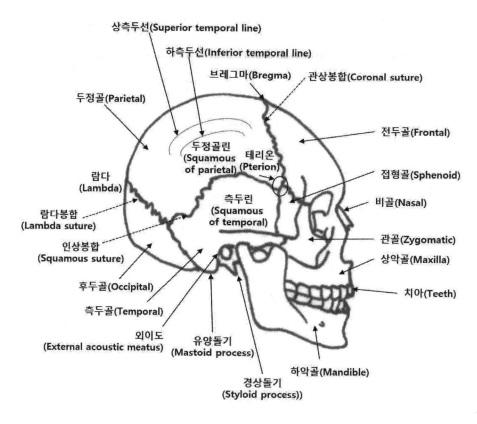

A) 측면

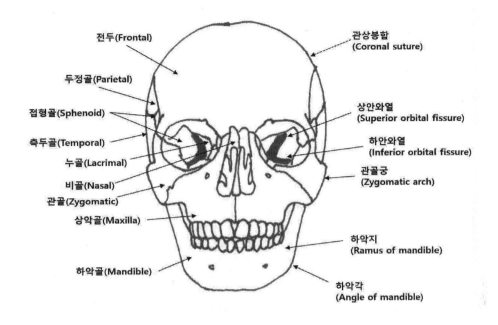

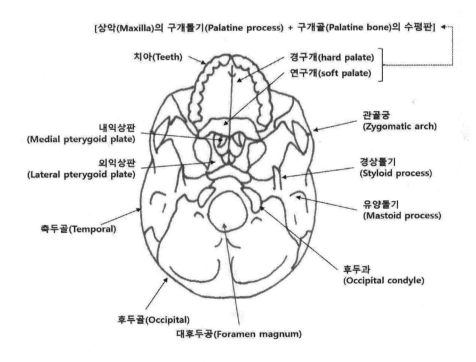

B) 정면(위) C) 하부(아래)

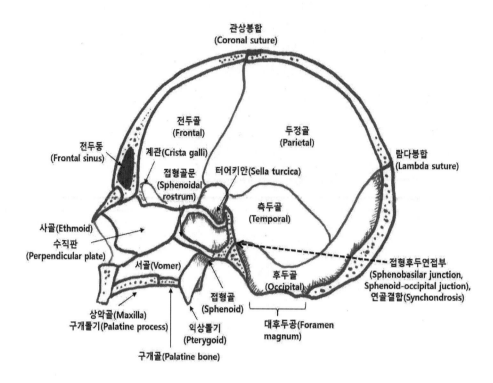

관상봉합
(Coronal suture)

전두골
(Frontal)

두정골
(Parietal)

전두동
(Frontal sinus)

계관(Crista galli)

람다봉합
(Lambda suture)

접형골문
(Sphenoidal rostrum)

터어키안(Sella turcica)

측두골
(Temporal)

사골(Ethmoid)

수직판
(Perpendicular plate)

서골(Vomer)

후두골
(Occipital)

접형후두연접부
(Sphenobasilar junction,
Sphenoid-occipital juction),
연골결합(Synchondrosis)

접형골
(Sphenoid)

상악골(Maxilla)
구개돌기(Palatine process)

익상돌기
(Pterygoid)

대후두공(Foramen
magnum)

구개골(Palatine bone)

D) 측면내부

[그림 3-5] 두개골의 구조 (A, B, C, D)

[그림 3-6]에서 보듯이 봉합은 섬유성 결합조직으로 단단하게 두개골을 부착하고 있으나 아주 미세한 움직임은 가능하게 한다. 즉 섬유성 결합조직이기 때문에 작은 움직임이 가능한 것이다.

두개천골기법에서는 아주 미세한 움직임을 느끼고 그러한 느낌으로 치유를 하므로 봉합의 위치를 정확히 알고 있어야 한다. 즉 각 두개골의 상호간 위치를 정확히 인지하고 있어야 한다.

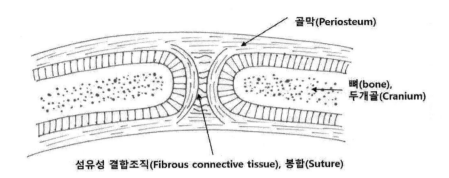

골막(Periosteum)

뼈(bone),
두개골(Cranium)

섬유성 결합조직(Fibrous connective tissue), 봉합(Suture)

[그림 3-6] 봉합구조

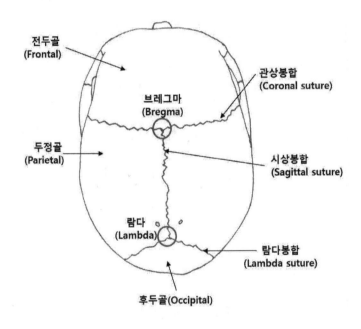

전두골
(Frontal)

브레그마
(Bregma)

관상봉합
(Coronal suture)

두정골
(Parietal)

시상봉합
(Sagittal suture)

람다
(Lambda)

람다봉합
(Lambda suture)

후두골(Occipital)

[그림 3-7] 두개골 봉합구조

두개봉합은 위에서 보았을 때 [그림 3-7]과 같이 전두골과 두정
골을 나누는 관상봉합과 양쪽 두정골을 중앙에서 나누는 시상봉합

그리고 후두골과 두정골간의 람다봉합을 주의해야 한다. [그림 3-5]에서 보듯이 측면에서 두정골과 측두골을 연결하는 인상봉합이 있다. 개인별 위치는 비슷하지만 똑같을 수 없으므로 훈련을 통해 정확한 위치를 파악하고 두개골을 익히는 연습이 필요하다.

두개저cranial base는 눈썹 높이에서 횡단면으로 두개골을 절단하여 상부superior에서 하부inferior로 보았을 때 확인할 수 있다. [그림 3-8]에서 보듯이 후두골과 접형골, 측두골과 두정골 그리고 전두골과 사골(극히 일부)로 구성되어 뇌를 받치고 있다. 또한, 뇌신경과 혈관이 지나갈 수 있는 공foramen, 열fissure, 관canal 등이 형성되어 있다.

접형골이 옆으로 이동되었다고 하면 그 정도에 따라 시신경관이 당연히 이동하게 되고 그를 통과하는 시신경에 긴장을 형성하게 된다. 이로 인해 눈에 문제를 가져올 수 있다. 대후두공은 척수가 연결되는 부위이고 후두골 바로 밑으로 경추 1번C1, atlas이 받치고 있다. 접형골과 연결된 사골의 계관은 대뇌겸falx cerebri이 연결되는 부위이다.

사골은 가장 윗부분인 계관이 전두골을 통과해 대뇌겸의 부착부위를 조성하며 코 온도와 수분을 조절하는 역할은 상비갑개와 중비갑개가 수행한다. 사골은 전두골 외에도 서골과 연결되고 당연히 접형골과 연결되어 있다.

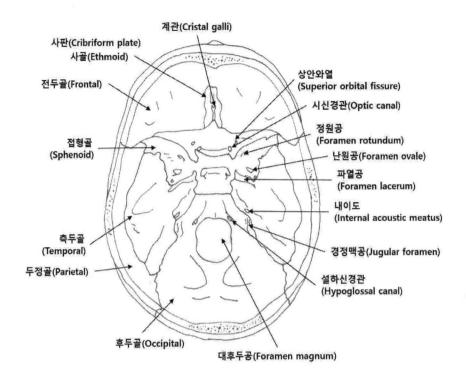

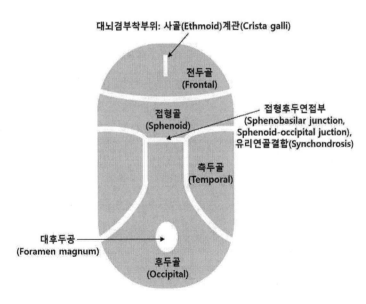

[그림 3-8] 두개저 및 도식화된 두개저

서골은 두 개로 나뉘는 상악골 중앙에서 사골의 수직판과 접형골 그리고 구개골에 연결된다. 이 뼈는 연골은 아니지만 얇으므로 휘어질 수 있다. 또한, 턱관절 및 치과 계열의 문제로 인해 상악골에 문제가 생기게 되면 이 서골을 통해 접형골에 영향이 전달된다. 격투기 등에서 얼굴 가격(加擊)이 그만큼 위험한 것이다. 특히 맨손바닥으로 올려치게 되면 그 영향이 아주 클 수 있다.

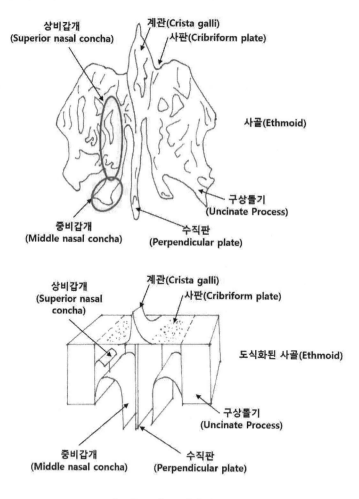

A) 사골 및 도식화된 사골

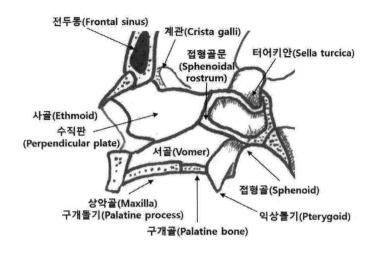

전두동(Frontal sinus) 계관(Crista galli)

접형골문 (Sphenoidal rostrum)

터어키안(Sella turcica)

사골(Ethmoid)

수직판 (Perpendicular plate)

서골(Vomer)

접형골(Sphenoid)

상악골(Maxilla) 구개돌기(Palatine process)

익상돌기(Pterygoid)

구개골(Palatine bone)

B) 사골과 서골

[그림 3-9] 사골 및 서골의 구조

접형골의 중요성은 이루 말할 수 없다. 이는 후두골과 관절을 형성하고 있으며 가장 많은 움직임을 만들어 내며 두개천골기법에 있어서 핵심역할을 하고 있다. 마치 나비같이 생겨서 접형골이라고 불리며 대익과 소익 그리고 익상돌기 등으로 크게 구분할 수 있다.

대익은 접형골을 대표하며 눈 옆, 소위 말하는 관자놀이 지점에서 직접 손으로 촉지가 가능하지만, 근육층이 두꺼워서 후두골이나 전두골 등 다른 두개골을 촉지 하는 것과는 다르며 정확히 촉지를 하기 위해 훈련이 필요하다.

소익은 접형골의 몸체에서 직접 뻗어 나오며 시신경관과 접형골 동구를 형성하고 있다. 익상돌기는 입안으로 깊이 들어가 촉지 할 수 있다. 하지만 직접 접형골을 건드리게 되기 때문에 절대로 함부로 건드려서는 안 된다.

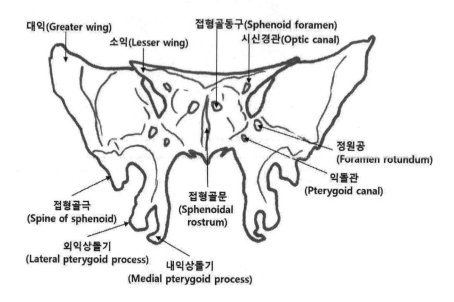

[그림 3-10] 접형골 구조

　　다음 그림은 접형골과 후두골이 형성하는 기저부를 표현한 것이다. 접형골과 후두골은 연골결합인 접형후두연접부에서 연골결합으로 관절을 형성하며 섬유결합보다 많은 움직임을 만들 수 있다.

　　접형골의 대익과 소익을 볼 수 있으며 뇌하수체를 보호하는 터어키안을 확인 할 수 있다. 후두골의 내후두융기IOP: Internal Occipital Protuberance는 대뇌겸, 소뇌겸 및 소뇌천막이 결합되는 부위이며 외후두융기EOP: External Occipital Protuberance 반대측(바깥쪽)에 위치한다.

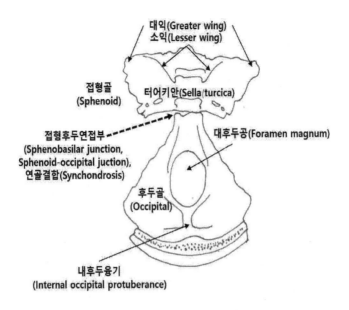

대익(Greater wing)
소익(Lesser wing)
접형골
(Sphenoid)
터어키안(Sella turcica)
접형후두연접부
(Sphenobasilar junction,
Sphenoid-occipital juction),
연골결합(Synchondrosis)
대후두공(Foramen magnum)
후두골
(Occipital)
내후두융기
(Internal occipital protuberance)

[그림 3-11] 도식화된 접형후두기저부

턱관절은 측두골과 하악이 형성하며 관절구는 귓구멍 바로 앞에서 느낄 수 있다. 저작근에 의해 하악은 씹는 역할을 주로 하게 되며 턱은 밑이 뚫려 있어 횡격막을 형성하기도 한다. 근돌기로 측두근이 부착되기 때문에 턱을 잘못 사용하게 되면 측두근의 수축을 가져오게 되고 만성적인 긴장성 두통을 일으키는 원인이 되기도 한다. 턱의 관절구가 측두골을 따라 움직이게 되는데 이는 입의 벌어지고 닫힘에 의해서 이루어지며 디스크가 있어 뼈끼리 마찰되는 것을 방지한다.

[그림 3-12]에서 보듯이 디스크의 움직임에 문제가 생기면 턱관절의 가동성에도 문제가 생기게 된다. 또한, 외익상근의 부착 부위이

기 때문에 더욱 조심해야 하는데 외익상근의 상부조직이 접형골대익
에 연결되기 때문이다. 이로 인해 이미 언급되었던 비염과 같은 증
상이 지속적으로 발생할 수 있다.

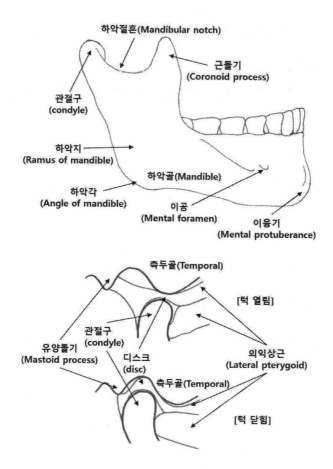

[그림 3-12] 하악골 및 하악관절

    횡격막 중 하나가 바로 턱에서 형성된다고 언급하였다. 이 횡격
막을 구성하는 많은 근육이 U자 모양의 설골에 부착된다. 설골은 슬
개골같이 근육에 의해 매달려 있는 뼈이다. 설골은 경추 3번$_{C3}$ 위치

에 있으므로 하악각 밑으로 약간 깊이 들어가 촉지 할 수 있다.

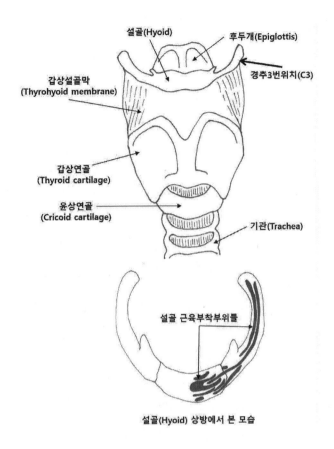

[그림 3-13] 설골

수많은 근육이 연결되어 있기에 근육 수축의 불균형이 있으면 설골이 한쪽으로 치우칠 수 있다. 촉지 시 갑상연골과 혼동하면 안 되며 경동맥이 두 갈래로 나뉘어 설골 양측으로 올라가기 때문에 촉지 시 주의를 기울여야 한다.

두개천골기법에서 중요시하는 골격은 두개골과 척추 그리고 골반이다. 여기서는 척추의 복잡성과 그 구성 등의 복잡성에 의해 구체적으로 다루지 않도록 한다. 척추는 척수를 보호하고 위치상 말초 신경의 연결 부위라고 할 수 있다. 경추 7개, 흉추 12개, 요추 5개, 천추(천골) 5개 그리고 미추(미골) 5개를 기본으로 하여 총 34개로 구성된다. 하지만 그 수가 일부 다를 수가 있다. 예로 요추가 6개나 4개일 수 있다. 물론 이를 표현하는 방법은 천골화 또는 요추화되었다고 표현하기 때문에 특별한 이유가 없다면 척추는 보통 경추, 흉추 및 요추의 24개로 구분할 수 있다. 당연히 천골과 미골도 척추의 일부이지만 이는 자라면서 골 융합에 의해 하나씩으로 간주될 수도 있다. 또한, 천골과 미골은 장골과 함께 골반강과 '골반'을 형성한다.

골반을 형성하는 장골은 좌골, 치골, 장골, 세 뼈의 융합으로 하나의 뼈가 형성된다. 양측의 장골은 뒤에서 천골로 연결되고 앞에서는 치골부위에서 치골결합으로 연결되어 하나의 골반을 이루게 되는데 마치 70년대 유행하던 로봇 만화의 한 캐릭터와 같은 형상이다. 치골과 좌골이 형성하는 폐쇄공은 x-ray를 분석하여 골반 변위를 정의하는데 도움이 된다. 골반에 대퇴가 마치 박혀있듯이 인대로 연결되어 단단한 관절을 형성한다. 복부 아래 양 옆구리 측으로 전상장골극ASIS을 찾을 수 있고 뒤에서 천골과 관절을 형성하는 부위에서 후상장골극PSIS을 찾을 수 있다. 이는 우리가 치유를 하는 데 있어 아주 중요한 이정표 역할을 한다. 좌골결절은 우리가 의자에 앉을 때 처음 닿는 부위이다. 그림에서 보듯이 골반도 밑이 비어 있어 하나의 횡격막이 필요하고 또 구성하고 있다.

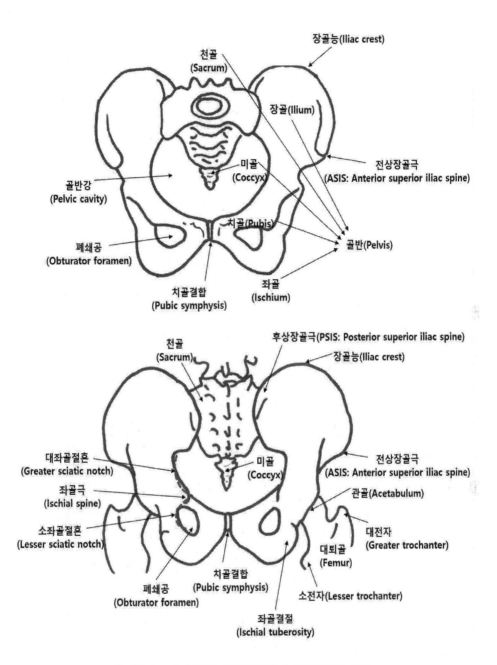

천골
(Sacrum)

장골능(Iliac crest)

장골(Ilium)

전상장골극
(ASIS: Anterior superior iliac spine)

미골
(Coccyx)

골반강
(Pelvic cavity)

치골(Pubis)

골반(Pelvis)

폐쇄공
(Obturator foramen)

좌골
(Ischium)

치골결합
(Pubic symphysis)

천골
(Sacrum)

후상장골극(PSIS: Posterior superior iliac spine)

장골능(Iliac crest)

대좌골절흔
(Greater sciatic notch)

미골
(Coccyx)

전상장골극
(ASIS: Anterior superior iliac spine)

좌골극
(Ischial spine)

관골(Acetabulum)

소좌골절흔
(Lesser sciatic notch)

대전자
(Greater trochanter)

대퇴골
(Femur)

폐쇄공
(Obturator foramen)

치골결합
(Pubic symphysis)

소전자(Lesser trochanter)

좌골결절
(Ischial tuberosity)

[그림 3-14] 골반의 전상방(위)과 후방(아래) 모습

근육

근육은 뼈에 건tendon으로 부착되며 인대ligament는 뼈와 뼈를 잇는다. 관절은 두 개 이상의 뼈가 맞물리는 곳으로 근육에 의해 움직임이 형성되는 곳이다. 두개골에서의 봉합은 일종의 관절을 형성하는데 이는 다른 관절과 마찬가지로 움직임을 가진다. 두개골에서의 움직임은 근육의 수축과 이완에 따라 일어나기도 하지만 두개골 내압의 변화나 수액흐름의 변화 등에서도 일어날 수 있으며 하나 또는 그 이상의 두개골 움직임에 의해 발생할 수 있다. 자동차 사고 등과 같은 외상에 의해서 두개골이 이동하여 고정되는 경우도 있을 수 있다. 하지만 두개골의 움직임은 다른 관절의 움직임처럼 크지 않다는 것에 그 차이가 있다.

두개골은 외상에 의해 아니면 선천적인 변형에 의해 이동되지 않는 이상 눈으로 확인할 수 없을 정도의 움직임을 가진다. 그렇기에 대증의학에서는 두개골의 봉합은 움직임이 없다고 배우고 받아들인다. 우리 신체에 불필요한 것은 없다. 이유가 있어서 만들어졌고 기능을 수행하기 위해 존재한다. 그 기능이 제대로 작용되면 건강한 것이고 제대로 작용이 되지 않으면 건강하지 않은 것이다. 또한, 보이는 것이 다가 아니라는 것을 인지하여야 한다. 두통의 원인의 90% 이상이 근육에 의한 긴장성 두통인 것을 보면 쉽게 이해가 갈 것이다. 머리가 아픈 것은 단순히 어떤 원인에 의한 결과이지 그것이 원인이 아닌 것이고 원인이 하나가 아닐 수 있다는 것이다. 뼈가 제공하는 보호기능과 구조frame의 기능 및 조혈작용 등은 익히 알고 있다. 우리가 움직이기 위한 구조를 제공하는 것이 뼈이고 움직임을 만들어 내는 것은 근육과 근막 등 결합조직이다. 여기서는 그러한 조직 중에서도 두개천골에 가장 기본이 되는 몇몇 근육을 다루도록 한다.

[그림 3-15]에서 보듯이 우리 신체의 가장 상부인 머리부위에도 많은 근육이 존재한다. 표정을 만드는 안면근육 외에 일부 근육을 볼 수 있다. 머리 상부를 덮고 있는 두피근육은 후두전두근으로 전두부와 후두부가 모상건막에 의해 후두골에서부터 전두골까지 부착되어 있다. 건막은 얇은 근막이라고 보면 되고 건막이기 때문에 두개골에 직접 부착되어 있다. 눈썹을 들어 올리고 이마에 주름이 생기게 하는 근육으로 미용차원에서 관리가 필요한 근육이다. 견갑거근이 이 근육에 영향을 미치므로 눈꺼풀이 주저앉거나 한쪽 눈이 상대적으로 작아 보이면 해당 견갑거근까지 관리를 해야 한다. 옆으로 귀 상방으로 형성되는 측두근은 두정골과 측두골을 단단히 싸고 있으며 저작기능을 교근과 같이 담당하고 있다. 이 근육에 문제가 생기면 심한 두통이 발생할 수 있다.

머리를 굴곡 시키거나 작용하는 근육의 반대방향으로 회전시키는 근육으로 흉쇄유돌근이 쇄골과 흉골에서 측두골의 유양돌기로 연결된다. 광경근은 얇고 넓은 근육으로 목 앞을 덮고 있다. 목 뒤로 아주 중요한 호흡근인 승모근이 가장 표피층에서 받치고 있으며 안쪽으로 호흡근이라고 할 수 있는 사각근의 세 가닥이 상부경추에서 늑골 1, 2번으로 연결되어 있다. 이 근육에 문제가 생기면 팔이 저리거나 아픈 흉곽출입구증후근TOS: Thoracic Outlet Syndrome이 발생할 수 있다. 동맥과 신경이 이 근육 사이로 나오기 때문에 근육이 너무 수축을 하게 되면 신경전달체계에 문제가 발생하거나 혈액순환에 문제가 발생하기 때문이다.

우리가 호흡근이라고 표현하는 것은 바로 호흡을 보조하거나 호흡을 하는데 사용해야 하는 근육이기 때문이다. 호흡에 관련된 근육은 횡격막을 포함하여 훈련이 필요하다. 엄마 자궁에서 태아는 폐호흡을 하지 않지만 공기와 접하는 순간부터 폐호흡을 해야 하는 운명에 처한다. 즉 폐를 움직여서 산소를 더욱 많이 받아들이기 위해 횡격막이 움직여야 하며 이를 돕기 위해 늑간근, 승모근, 사각근 등이 활동을 해야 한다. 그렇지 않으면 호흡이 짧아지는 것은 물론이고 이러한 근육이 사용되지 않기 때문에 퇴행이 일어나게 되며 이로 인한 어깨 통증, 두통, 가슴 조임 등의 불편함이 발생하게 된다.

견갑거근은 말 그대로 견갑을 들어 올리는 근육으로 상부경추에서 견갑골의 내측상연으로 부착된다. 이는 목을 외측으로 굴곡 하는 것을 보조하기 때문에 사경이나 너무 한 쪽으로 목이 기울어진 경우, 필히 관리를 해야 하는 근육이다. 마찬가지로 목의 통증을 가져오지만, 두통을 일으키는 가장 기본적인 근육이다. 우리가 긴장을 하거나 물건을 들 때 무의식적으로 어깨가 올라가게 되는데 바로 이 근육이 핵심역할을 한다.

두판상근은 머리를 회전시킬 때 사용되며 견갑설하근은 견갑에서 설골로 연결된다. 어깨에 문제가 생기게 되면 설골에도 문제가 발생할 수 있다는 것이고 다양한 근육이 연결되어 있는 설골에 문제가 생기면 그로 인해 다른 문제가 유발될 수 있다. 두개천골기법은 두개골을 조정하는 것을 기본으로 하되 내부 구조의 경막을 중심으로 하여 뇌척수액, 뇌하수체의 위치, 뇌신경, 뇌막 등 다양한 균형을 추구하는 것이다. 그렇지만 이러한 외부 구조적인 문제가 그것을 어렵게 만드는 경우도 많다. 그렇기에 근육에 대해 이해하고 있어야 한다.

두개천골기법을 하는데에 있어 경막의 중요성이 대두된다. 경막은 뇌를 내부에서 둘러싸고 나와 후두골의 대후두공에 단단히 부착되고 경추 2번에 또한 단단히 부착된 후 천골 2번까지 척수를 둘러싸고 하나의 긴 막으로 연결되어 있다. 후두골은 경추 1번 위에 놓여있는데 경추 1번과 후두골 사이에 가동성이 제한되어 있으면 경막의 움직임에도 제한을 가하게 된다. 그래서 두개천골기법에서 후두골과 경추 1번을 풀어주는 작업(OA 또는 AO 풀이)을 하게 된다. 하지만 후두골에서 경수 1번까지는 3~4cm 정도의 근육층이 보호하고 있어 관련 골격 조절이 쉽지 않다.

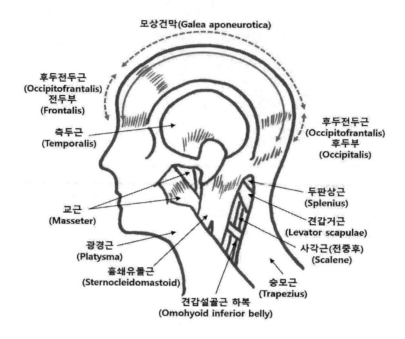

[그림 3-15] 두개 부위의 주요 근육

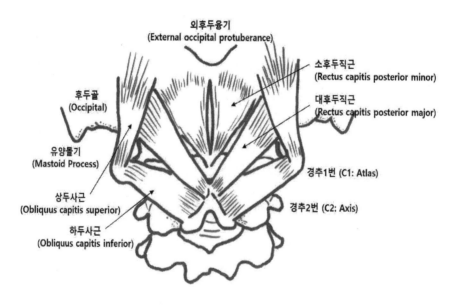

[그림 3-16] 후경추부 하부근육

이중 깊은 층에 [그림 3-16]에 표현된 것과 같은 근육들이 존재한다. 카이로프랙틱과 같은 골격교정 방법을 통해 부착된 근육을 풀어줄 수 있지만 두개천골기법에서 지양하는 방법이기 때문에 다른 방법을 사용한다. 이러한 근육은 표층근육만을 마사지해서 제대로 풀 수 없는 근육이다.

근육조정을 하여야 하는 부위가 몇 군데 존재하는데 그중 가장 중요한 부위가 턱 밑의 익상근들이다. 내익상근은 외익상판lateral pterygoid plate의 내측에서 하악지ramus로 연결된다. 외익상근은 상부섬유와 하부섬유로 구분되는데 상부섬유는 측두하능infratemporal crest과 접형골대익의 외측하부면에 부착되어 악관절에 연결되고 하부섬유는 외익상판lateral pterygoid plate의 외측면에서 하악과 목 부위와 내부 하악지에 연결된다.

중요한 것은 턱의 움직임이 접형골에도 영향을 준다는 것이다. 접형골은 뇌하수체를 담고 있을 뿐 아니라 두개골의 중심을 형성하고 있는 가장 중요한 뼈이다. 이에 영향을 주는 것이 단순히 씹는 것도 있다는 것을 절대로 간과해서는 안 된다. 우리가 음식을 양쪽 턱을 충분히 사용하여 천천히 꼭꼭 씹어 먹어야 하는 이유가 여기에 있다. [그림 3-17]에 표현되어 있는 외익상근에 문제가 생기면 저작 시 통증이 유발되는 것은 물론이고 비염과 같이 상악골의 심한 통증을 농반한 문비불이 발생할 수 있나. 내익상근의 문제는 인후통과 음식을 삼킬 때 통증을 유발할 수 있다.

[그림 3-18]에 표현되어 있듯이 교근은 두 층으로 나뉘며 표층은 관골궁에서 하악지와 하악각의 외측면에 부착되며 심층은 관골궁에서 하악지 윗부분으로부터 하악각까지로 부착된다. 턱을 닫게 하는 기능을 통해 음식물을 씹는 역할을 한다. 보통 교근에 문제가 있으면 치아의 감각이 예민해질 수도 있으며 두통과 귓속 깊숙한 곳까지 통증이 있을 수 있다. 당연히 해당근육의 통증도 유발되며 이를 가는 문제가 생길 수도 있고 입을 벌리고 닫는 문제가 생길 수도 있다.

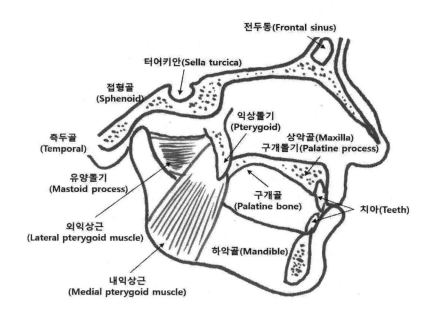

[그림 3-17] 익상근

[그림 3-19]에 표현되어 있듯이 측두근temporalis은 측두와teomporal

fossa에서 시작하여 하악골의 근돌기coronoid process와 하악지의 내면에 부착된다. 부착부위를 살펴보면 측두근의 수축이 턱을 상승시켜 입을 닫게 한다는 것을 알 수 있다. 치아를 강하게 맞물리는 경우 측두근이 교근보다 먼저 작용하게 된다. 측두근에 문제가 있는 경우 상부 치통, 눈 부위 통증 및 두통과 이를 가는 현상이 생긴다. 교합에 문제가 있는 경우 측두근 치료가 우선시 되어야 하는 것도 당연하다.

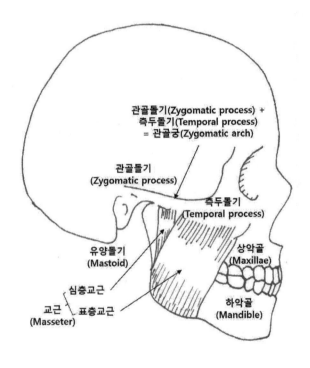

[그림 3-18] 교근

[그림3-20]은 턱을 들었을 경우 설골과 관련된 목 전방부의 다양한 근육체계를 보여준다. 두개천골기법을 제대로 적용하기 위해서는 턱 밑의 횡격막을 구성하는 다양한 근육조직을 풀어야 한다. 그

러한 풀이기법 중 하나가 설골을 중심으로 한 근육의 긴장 풀이이
다. 음식을 먹거나 말을 할 경우 턱을 사용하게 된다.

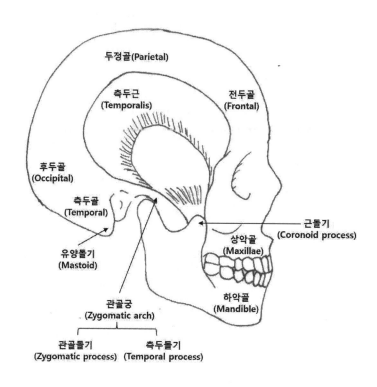

[그림 3-19] 측두근

    턱을 사용하게 되면 설골에 연결된 근육들이 사용되는 것은 당
연하다. 많이 사용할수록 목 전방부에 긴장이 형성되고 다양한 증상
이 발생하게 된다. 악이복근은 설골을 매달고 있는 가장 근간의 근
육으로 하악골결합부(중앙부위)와 유양돌기 사이에 설골을 매달고 있으
며 설골이나 하악골의 상승 및 하강을 가능하게 한다. 이 근육의 문
제는 흉쇄유돌근 상부에 통증을 발생시킬 수 있으며 삼키는 동작에
문제를 유발할 수 있고 어금니 부위에 통증을 유발하기도 한다.

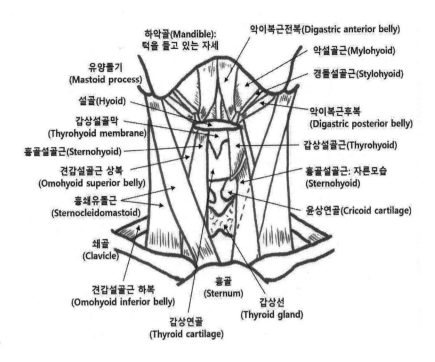

하악골(Mandible): 턱을 들고 있는 자세
악이복근전복(Digastric anterior belly)
악설골근(Mylohyoid)
경돌설골근(Stylohyoid)
유양돌기 (Mastoid process)
설골(Hyoid)
갑상설골막 (Thyrohyoid membrane)
악이복근후복 (Digastric posterior belly)
흉골설골근(Sternohyoid)
갑상설골근(Thyrohyoid)
견갑설골근 상복 (Omohyoid superior belly)
흉골설골근: 자른모습 (Sternohyoid)
흉쇄유돌근 (Sternocleidomastoid)
윤상연골(Cricoid cartilage)
쇄골 (Clavicle)
견갑설골근 하복 (Omohyoid inferior belly)
흉골 (Sternum)
갑상선 (Thyroid gland)
갑상연골 (Thyroid cartilage)

[그림 3-20] 목근육 전방

　　이미 언급되었던 흉쇄유돌근도 삼키는 동작을 돕고 턱을 움직이
는 동작을 할 경우 승모근과 함께 머리 위치를 고정시키는 작업을
수행한다. 중요한 것은 흉쇄유돌근이 무게감지, 운동협조 및 공간 감
각에 관계한다는 것이다. 뿐만 아니라 흉쇄유돌근의 문제가 있는 경
우 아주 다양한 증상을 유발시키는데 머리에 무엇이 얹혀있는 느낌,
눈물, 안검하수, 시력감퇴, 결막충혈, 비염증상, 이명, 기침, 현기증,
구역질, 멀미, 청력감소, 호흡불안정 등 다양한 문제를 가져올 수 있
다. 그만큼 목 부위가 중요하며 흉쇄유돌근의 경우 그 중요성이 이
루 말할 수 없다.

견갑설골근은 견갑과 설골을 연결시키는데 긴장하고 있는 경우 설골을 잡아당겨 설골에 연결된 다른 근육들에도 영향을 미치게 된다. 스트레스를 받거나 컴퓨터를 쓰는 경우 인지하지 못하고 어깨가 올라가게 되는데 이것이 많은 문제를 유발할 수 있게 되는 것이다. 경돌설골근은 경상돌기와 설골간 긴장을 유지하고 있는 근육으로 머리의 신전이 지속되는 경우 설골을 뒤로 잡아당기게 되며 설골에 부착된 다른 근육과 마찬가지로 기타 주변 근육에 영향을 미친다.

두개천골기법을 수행할 경우 후두골과 경추 1번을 분리시켜야 한다. 두개골의 움직임을 자유롭게 하기 위함이고 대후두공과 경추 2번에 강하게 부착된 경막을 풀기 위한 준비 작업이기도 하다. 이미 언급되었듯이 후두골 부위에 부착되는 근육은 다양하기 때문에 개인마다 차이가 있기는 하겠지만 그 두께가 3~4cm에 이른다.

이것을 풀기 위해 딥티슈마사지를 할 수도 있지만 두개천골에서는 다른 방법을 사용한다. 바로 중력과 작용반작용의 법칙이다. 후두골을 손가락으로 단단히 지탱하고 머리 무게가 자동적으로 근육을 누르게 하는 방법이다. 피시술자가 스스로 이완해야 하는 것을 이용하는 것으로 조직손상을 피할 수 있고 불필요한 힘을 가해 조직을 긴장시키지도 않는다. 물론 다른 방법을 사용할 수도 있다. 가장 표피층의 흉쇄유돌근과 승모근을 통과해서 깊은 층의 근육인 후두직근군까지 풀어주어야 한다.

측두골측에 있는 두최장근도 풀어주어야 하기 때문에 두개천골기법에서 사용하는 후두골풀이의 변형이 필요하다. 위목덜미선superior nuchal line과 아래목덜미선inferior nuchal line 선상에서 측두골의 유양돌기까지 부착된 근육 풀이가 절대적으로 선행되어야 한다. 임상적으로 보았을 때 후두골과 경추 1번의 근육층만 풀어주는 것보다 이러한 소위 '뒤통수' 전체를 풀어주게 되면 두개천골기법이 더욱 효율적으로 적용되고 효과를 더 높이게 된다. 물론 풀이는 정골의학식 풀이를 통해 통증을 최소화하고 조직손상을 피해야 한다. 특히 위목덜미 선에서 연결되는 승모근을 분리하여 풀어주는 것도 두개천골기법의 사전작업으로 바람직하다.

이러한 근육들의 일부는 경추부와 상부흉추까지 연결되기 때문에 상부흉추 또한 풀어 주어야 한다. 상부흉추, 즉 등 부위는 견갑을 중심으로 지렛대 원리를 사용하여 균형을 맞추고 관련 근육들을 풀어주어야 한다. [그림 3-22]에서 보듯이 등으로 부착되는 근육 또한 다양하다. 이러한 근육들에 문제가 생기면 유기체인 신체 다른 부위에 영향을 미칠 수 있다는 것은 이제 이해가 갈 것이다. 경판상근은 상부흉추에서 경추로 연결된다. 상부경추에서 나오는 견갑거근과 경추 7번에서 흉추 5번까지에서 시작하여 견갑으로 부착되는 능형근rhomboid 등이 견갑에 영향을 준다.

흉곽출입구증후근을 유발시키는 상부 횡격막을 풀 경우, 그리고 폐의 안정을 유지하고 상부흉추의 좌우 균형을 맞추기 위해서는 견갑부위를 중심으로 한 근막 이완이 절대적으로 필요하다.

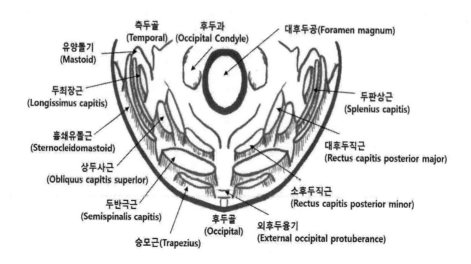

[그림 3-21] 후두하근육근

능형근 안쪽으로 호흡을 돕는 후상거근_{serratus posterior superior}이 있다. 후상거근에 문제는 팔에 통증을 일으키기 때문에 가끔 경추 8번 신경의 문제로 혼동하기도 한다. 등을 둥글게 만드는 능형근의 문제는 간에 문제를 일으킬 수 있다. 특히 우측 능형근에 의한 견갑의 제한은 폐의 확장성에 문제를 일으켜 횡격막의 움직임에 제한을 일으킬 수 있고 이는 간에 영향을 직접적으로 전달할 수 있다. 두개천골기법을 시행할 경우 항상 시각화해야 하는 것이 이러한 근육들의 정향성_{orientation}이다. 어디서 어디로 연결되어 있고 근육의 기본 역할과 작용, 이를 통해 발생할 수 있는 증상들에 대해 인지하는 능력을 키워야 한다. 두개천골기법에서 중요하게 다루는 횡격막이 호흡횡격막이다. 호흡횡격막의 좌각과 우각은 척추에 부착되고 낙하산 모양으로 늑골에도 연결된다. 호흡횡격막에 의해 장부가 마사지 되는 효과도 있다. 이러한 횡격막의 효과를 극대화하기 위해 잡아주는 역할을 하는 근육들이 있는데 대표적으로 요방형근과 장요근이 있다. 요방형근은 늑골과 장골 간에 존재하여 요추의 균형을 잡아주는 역할을 한다.

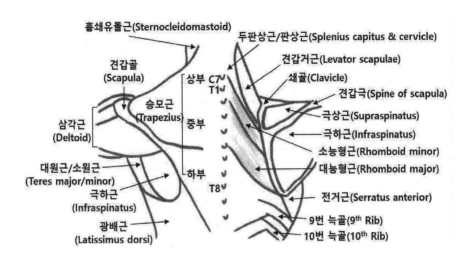

[그림 3-22] 상부흉추부 근육

흡기와 강한 호기 시 늑골을 고정하여 호흡횡격막의 움직임을 극대화하는 역할도 한다. 당연히 요방형근에 문제가 있으면 호흡에 문제가 발생하게 된다. 이 근육의 문제는 허리 통증을 유발하고 심하게는 엉덩이 부위와 장딴지 부위까지 가벼운 경련을 일으킨다. 대사에 이상을 일으키기도 하며 하지의 불균형을 초래할 수 있고 반대로 그러한 문제로 인해 요방형근에 문제가 생길 수도 있다.

상요근(대요근과 소요근)은 12번 흉추에서 요추와 추간판을 통해 내뢰골의 소결절까지 부착된다. 장골근은 내측 장골와 상부에 부착되어 대요근의 건과 융합되므로 보통 같이 검사하고 치유한다. 변비가 있는 경우 이 부위의 통증을 심하게 느끼기도 하며 허리통증과 서혜부와 대퇴안쪽에 통증을 일으키기도 한다.

추간판에 문제가 있는 경우, 임신 등으로 인해 장요근에 통증이 유발되기도 한다. 다리 길이가 불일치할 경우 대퇴직근의 지나친 긴장으로 통증이 발생 된다. 두개천골기법을 시행할 경우에 고려해야 할 것은 장요근이 골반강을 형성하는 기능도 하기 때문에 단순 골반횡격막 풀이에서 벗어나 적극적인 치료가 필요할 수 있다는 것이다.

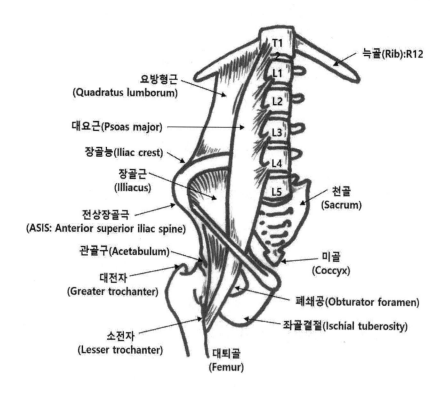

[그림 3-23] 골반주위 근육

뇌실

두개천골기법에서 중요시 하는 근원적인 혈액인 뇌척수액과 관련된 뇌실은 [그림 3-24]에 표현된 것과 같은 구조를 갖는다. 마치 산양의 뿔과 같은 모양을 하고 있기에 말 그대로 양의 뿔Lamb's horn이라고 부르기도 한다. 뇌실의 맥락총을 통해 뇌척수액이 생산되어 순환하게 된다. 뇌실은 4개로 구분되는데 좌우 측뇌실, 중앙의 제3뇌실 그리고 하부의 제4뇌실을 갖는다. 두개천골기법에서는 보통 CV4 또는 EV4expansion of the fourth ventricle-제4뇌실 확장를 수행하여 스틸포인트still point를 구현하는데 이는 두개골의 굴곡과 신전의 움직임을 정지 상태로 만드는 것이다. 이를 수행하는 방법 또한 다양하지만 후두골 부위를 압박하여 제4뇌실을 압박하게 되고 이를 통해 제4뇌실의 뇌척수액의 생성도 잠시 멈추게 한다. 물론 제4뇌실의 압박만으로 전체 뇌실의 기능이 완벽하게 정지 상태에 이른다고 할 수 없지만 임상적으로 가장 조절하기 쉽기 때문에 제4뇌실의 압박이나 확장기법을 통해 뇌실의 움직임을 제한하는 것이다.

뇌척수액은 네 개의 뇌실 맥락총을 덮고 있는 상피의 분비작용에 의해 생성된 수액으로 뇌의 뇌실 시스템을 순환하다가 제4뇌실 천정부위의 거미막하 공간으로 배수된 후 경막의 정맥시스템으로 재흡수 된다. 측뇌실은 뇌반구의 많은 부분을 차지한다.

각 측뇌실은 전각, 뇌실체, 후각 및 하각으로 구성되는데 후각은 뇌실의 후두엽에 위치하고 하각은 측두엽까지 위치한다. 측뇌실의 맥락총에서 대부분의 뇌척수액이 생성된다. 이 맥락총은 하각에서 뇌실간공interventricular foramen을 지나 제3뇌실의 맥락총으로 연결된다. 제3뇌실의 바닥은 시상하부로 구성되며 뇌척수액은 중뇌의 좁은 중뇌수관cerebral aqueduct, sylvian aqueduct을 통과해 제4뇌실에 다다른다. 위에서 보았을 때 다이아몬드 모양이며 옆에서는 텐트 모양의 제4뇌실은 연수와 뇌교에 의해 바닥을 형성한다. 천정은 소뇌와 상하연수천장superior/inferior medullary vela로 의해 형성된다. 뇌척수액은 제4뇌실에서 거미막하 공간으로 빠져나가는데 매전디공foramen of Magendie과 외측루시카공lateral apertures of Magendie, Luschka을 통해 나간 후 뇌 표피와 척수로 흐르게 된다. 뇌척수액의 재흡수는 여러 동sinus에 의해 이루어진다.

막

두개골과 천골은 경막dura mater: 라틴어원으로 아주 강한 어머니라는 뜻으로 연결되어 있으며 이는 당연히 다양한 근막과 연속성을 가지며 척추관을 통과한다. 경막은 척추관 내부에서 척수를 위해 느슨하게 감싸고 있다. 두개골 내부를 둘러싸고 내려와 골내막endosteal layer은 대후두공 아래에서 척추관 내면을 만드는 골막으로 연결되어 있다.

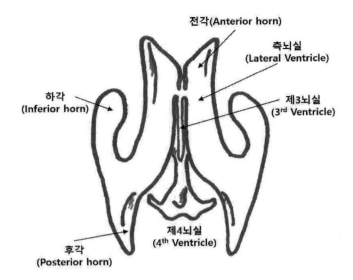

전각(Anterior horn)

측뇌실
(Lateral Ventricle)

하각
(Inferior horn)

제3뇌실
(3rd Ventricle)

후각
(Posterior horn)

제4뇌실
(4th Ventricle)

A) 뇌실(상방)

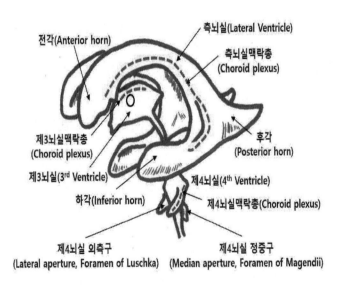

전각(Anterior horn)

측뇌실(Lateral Ventricle)

측뇌실맥락총
(Choroid plexus)

제3뇌실맥락총
(Choroid plexus)

후각
(Posterior horn)

제3뇌실(3rd Ventricle)

제4뇌실(4th Ventricle)

하각(Inferior horn)

제4뇌실맥락총(Choroid plexus)

제4뇌실 외측구
(Lateral aperture, Foramen of Luschka)

제4뇌실 정중구
(Median aperture, Foramen of Magendii)

B) 뇌실(측방)

[그림 3-24] 뇌실구조

그렇기 때문에 두개골과 천골은 두개골 경막의 내측interacranial dura mater이나 척추경막spinal dural membrane의 상호 연장선상에 있다고 보면 된다.

경막은 두개골 내부에서 내려와 대후두공 주위에서 강하게 부착되고 경추 2번, 경추 3번 몸체 후방에 강하게 부착(일부 해부학자에 의하면 경막이 경추 1번에도 부착된다고 한다)된다. 천골에서는 [그림 3-26]과 같이 천골 2번S2 후면에 강하게 부착된다. 경막은 종사filum terminale를 감싸고 천골열공을 통해 천골을 빠져나가 미골의 골막과 결합된다.

척추신경은 추간공을 통해 척추관에서 빠져 나와 축추 주위의 근막과 결합되는데 경막초dural sheath로 둘러싸인다. 척수는 척추관을 따라 내려가면서 원추형으로 좁아지며 척수원추conus medullaris가 되며 요추 2번 아래에서 끝이 나며 마미총cauda equina으로 변한다.

척수신경은 척추관에서 나오면서 횡격막 기능도 하게 된다. 하지만 이러한 횡적인 방향이 아래로 내려갈수록 종적으로 바뀐다. 척수를 바로 싸고 있는 것은 연막이고 그 위로 거미막과 경막이 척수와 신경을 감싼다. 척수연막은 제일 안쪽에서 척수표면에 밀착되어 부착되고, 척수 양 바깥쪽에서 삼각으로 생긴 주름으로 돌출하는데 이것이 치상인대로 거미막을 지나 경막에 부착된다. 치상인대는 좌우에 18~20쌍이 있는데 척수관내에서 척수를 고정하고 지지하지만 경막이 늘어나는 것을 일부 제한하고 있다.

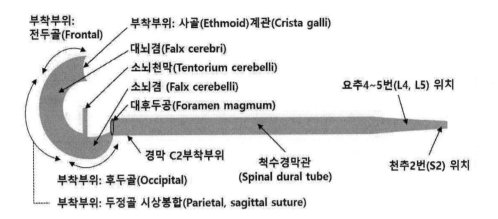

부착부위:
전두골(Frontal)

부착부위: 사골(Ethmoid)계관(Crista galli)

대뇌겸(Falx cerebri)

소뇌천막(Tentorium cerebelli)

소뇌겸 (Falx cerebelli)

대후두공(Foramen magmum)

요추4~5번(L4, L5) 위치

경막 C2부착부위

척수경막관
(Spinal dural tube)

천추2번(S2) 위치

부착부위: 후두골(Occipital)

부착부위: 두정골 시상봉합(Parietal, sagittal suture)

[그림 3-25] 경막 연속성

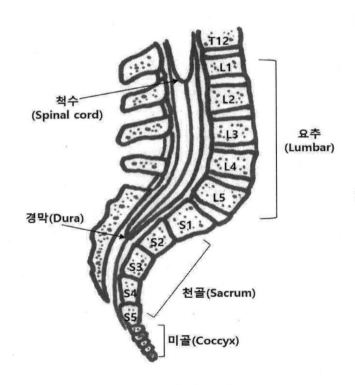

T12

L1

L2

L3

L4

L5

척수
(Spinal cord)

요추
(Lumbar)

경막(Dura)

S1

S2

S3

S4

S5

천골(Sacrum)

미골(Coccyx)

[그림 3-26] 경막종지부

두개골 내 경막은 뇌를 구분하며 종과 횡으로 나누어지기도 한다. 수평막 즉 횡격막인 소뇌천막과 수직막인 대뇌겸, 소뇌겸은 두개 cranial 내에서 상호긴장막을 형성하며 두개cranial의 구획을 나누고 유지한다. 대뇌겸은 대뇌를 좌반구, 우반구로 나뉘며 소뇌겸은 소뇌를 시상면상에서 나눈다. 두개천골기법사들이 주의할 것은 소뇌천막이다. 소뇌천막의 긴장을 풀기 위해 귀를 잡아당기는 기법이 있는데 이는 소뇌천막이 귀가 붙어있는 측두골의 추체부융기에 부착되어 있기 때문이다. 하지만 완전히 수평이 아니라 약간 어깨 방향으로 비스듬하게 위치하고 있다는 것에 주의하여야 한다.

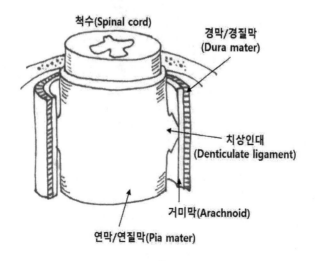

[그림 3-27] 척추구조

대뇌겸, 소뇌겸과 소뇌천막은 막이 두 겹으로 되어 있으며 상호긴장막을 형성하여 뇌구조에 압력이 일정하게 가하도록 형성되어 있다. 소뇌천막이 양 외측으로 무한 확장할 수 없게 대뇌겸과 소뇌겸이 반대 방향으로 긴장을 형성하고 있으며 마찬가지로 대뇌겸과 소뇌겸의 확장을 제한하는 소뇌천막이 상호간 긴장을 형성하여 뇌의 구조를 안정적으로 유지한다.

이러한 상호긴장막은 아주 미세한 유연성이 있어 종이나 횡으로 미세하게 늘어나기는 한다. 하지만 심하게 잡아 당겨질 경우 즉 골의 변형에 의해 상호긴장막의 긴장이 한계점을 벗어나게 되면 꼬임현상이 일어나고 이러한 꼬임현상이 지속될 경우 두꺼워지는 현상이 발생하게 된다. 당연히 뇌압의 변화와 뇌척수액의 흐름과 기타 혈액의 순환에 문제가 생기게 된다. 일부 두개천골기법의 근간 이론 중 하나는 이 상호긴장막의 확장성에 중점을 두고 한계점에 대한 언급을 하지 않는데 이는 약간의 문제가 있다고 할 수 있다. 언급되었듯이 한계점을 지나서도 한 쪽의 막이 확장을 하게 되면 긴장막을 형성하는 막이 잡고 있는데 한계를 가질 수밖에 없고, 즉 수축성 긴장을 더 이상 유지할 수 없어 늘어나버리게 되는 현상이 발생할 수 있고 이는 두개골 내외 구조상 아주 심각한 문제를 유발하게 된다. 다양한 이론과 이견이 존재하지만 전문가들이 동의하는 것은 상호긴장막의 기능이 뇌의 구획을 정확히 유지하여 제대로 된 신경계 활동을 영위하기 위함이라는 것이다.

[그림 3-28]은 상호긴장막을 포함한 뇌막의 구소를 보여준다. 관상면상의 그림으로 전두골은 보이지 않지만 위치 구분을 좀 더 정

확하게 하기 위해 대략적 위치만을 표현하였다. [그림 3-29]는 상호 긴장을 형성하는 경막구조의 도식이다. 대뇌겸은 앞쪽에서 전두골의 시상면을 따라 사골의 계관에 부착되고 소뇌겸은 후두골을 따라 대후두공까지 연결된다. 소뇌천막은 대뇌겸과 소뇌겸에 긴장을 형성하며 횡으로 발생해 측두골에 부착된다.

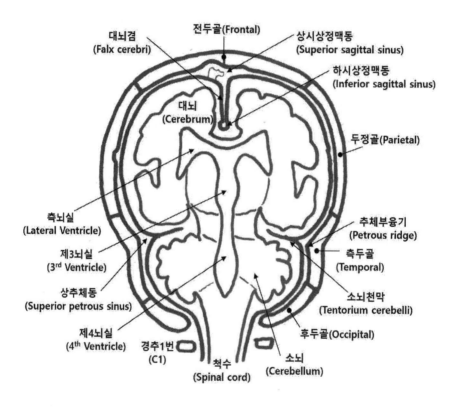

[그림 3-28] 뇌막구조

소뇌천막은 앞쪽에서 접형골의 전상돌기와 후상돌기에 부착되고 측두골의 추체와 측두린에 부착되며, 일부 두정골에도 부착되고 뒷

부분은 후두골에 부착된다. 즉 소뇌천막에 의해 접형골에 영향이 발생할 수 있고 반대로 접형골과 그 외에 두개골의 변형에 의해 소뇌천막에 영향이 미칠 수 있으며 이에 의해 상호긴장막 전체에 영향이 미치고 나아가서는 중추신경계에 문제를 일으킬 수 있다.

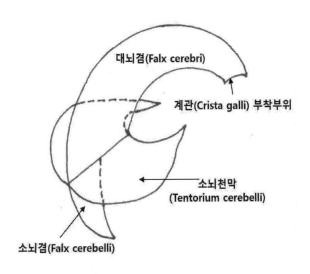

[그림 3-29] 두개경막구조: 상호긴장막

상호긴장막을 따라 다양한 정맥이 형성되어 있는데 이는 혈관이라고 표현되기보다 정맥동이라고 표현된다. 중요한 몇 가지 정맥동은 시상면을 따라 대뇌겸의 막이 상부에서 갈라지는 곳을 따라 형성되어 있는 상시상정맥동과 소뇌천막을 중앙에서 가로지르는 지정맥동과 소뇌천막의 후면에서 측면을 따라 구성된 횡정맥동 등이 있다. 이는 뇌척수액의 순환을 주로 하는데 흡수된 뇌척수액 및 혈액을 심장으로 보내는 역할을 한다. 일부 뇌척수액은 상부시상정맥동에서

재흡수 되기도 한다.

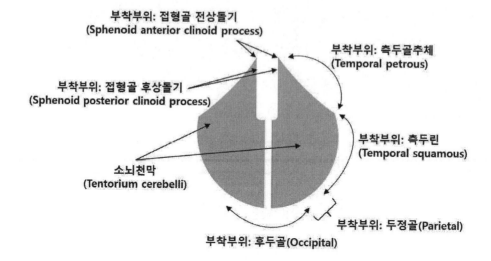

부착부위: 접형골 전상돌기
(Sphenoid anterior clinoid process)

부착부위: 측두골추체
(Temporal petrous)

부착부위: 접형골 후상돌기
(Sphenoid posterior clinoid process)

부착부위: 측두린
(Temporal squamous)

소뇌천막
(Tentorium cerebelli)

부착부위: 두정골(Parietal)

부착부위: 후두골(Occipital)

[그림 3-30] 도식화된 소뇌천막

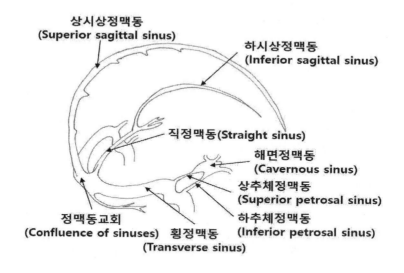

상시상정맥동
(Superior sagittal sinus)

하시상정맥동
(Inferior sagittal sinus)

직정맥동(Straight sinus)

해면정맥동
(Cavernous sinus)

상추체정맥동
(Superior petrosal sinus)

정맥동교회
(Confluence of sinuses)

횡정맥동
(Transverse sinus)

하추체정맥동
(Inferior petrosal sinus)

[그림 3-31] 주요 뇌정맥동

추간공으로 나오는 뇌신경이 일부 횡격막 성격을 가지지만 가장 중요한 횡격막은 호흡횡격막으로 측면에서 보면 전면의 늑골에서부터 요추로 낙하산과 같은 모양으로 구성된다. 하부에서 상부로 비스듬히 보면 [그림 3-32]의 그림과 같이 요추로 우각과 좌각으로 강하게 부착되어 있다. 즉 호흡에 의해 요추의 가동성에 영향을 미칠 수 있다.

또한, 후복부를 형성하는 요방형근과 대요근에 부착되기도 하기 때문에 늑골의 거상 또는 골반의 기울기에 영향을 미칠 수 있다. 다시 말해 호흡이 원활하지 않은 경우 그러한 근육에 영향을 미치게 되고 골격의 근간이 되는 골반과 척추에 영향을 미치게 되어 많은 신체적인 문제를 야기할 수 있다.

호흡횡격막의 긴장이 만성적인 경우, 횡격막을 통과하는 대정맥, 대동맥 및 식도에 문제를 야기할 수 있다. 식도와 호흡횡격막의 문제는 염증을 유발하여 만성적인 역류성 식도염을 유발할 수 있다. 대동맥과 대정맥을 조이게 되어 혈액흐름을 방해할 수 있으며 이를 통해 영양분과 노폐물의 순환이 원활하지 않게 되면 전체 신체대사에 문제가 생기게 된다. 즉 건강에 문제가 생기는 가장 근간 중 하나가 바로 호흡횡격막이다.

호흡횡격막외에 중요한 횡격막은 골반횡격막으로 [그림 3-33]에서 보다시피 관상면상에서 살펴볼 때 골반강에 생식기 등 내부 장기를 담고 밑에서 받쳐주고 있다. 골반횡격막은 상한 근육근으로 구성되어 있다. 두 개의 열공이 형성되어 있는데 하나는 직장을 연결되어 항문직근열공과 생식기열공이 있다.

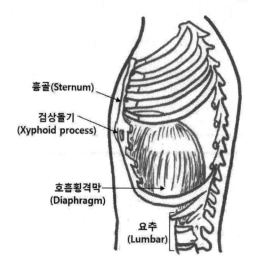

흉골(Sternum)

검상돌기
(Xyphoid process)

호흡횡격막
(Diaphragm)

요추
(Lumbar)

A) 측면

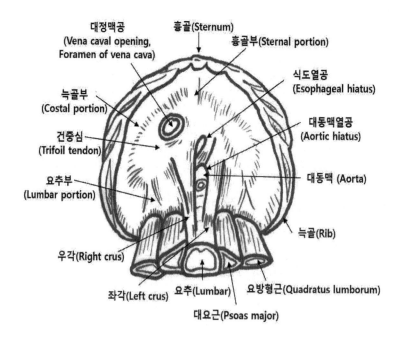

대정맥공
(Vena caval opening,
Foramen of vena cava)

흉골(Sternum)

흉골부(Sternal portion)

식도열공
(Esophageal hiatus)

늑골부
(Costal portion)

건중심
(Trifoil tendon)

대동맥열공
(Aortic hiatus)

요추부
(Lumbar portion)

대동맥 (Aorta)

늑골(Rib)

우각(Right crus)

좌각(Left crus)   요추(Lumbar)

요방형근(Quadratus lumborum)

대요근(Psoas major)

B) 하상방

[그림 3-32] 호흡횡격막

뿐만 아니라 많은 인대와 근육들이 골반과 천골 및 미골에 연결되어 있어 강하게 내부 장기들을 보호하고 받쳐주고 있다. 하지만 중력의 영향과 복강압 및 골반강 내압에 의해 지속적으로 부하가 걸리게 되고 항상 항문괄약근을 수축하고 있어야 하기 때문에 만성적인 수축상태라는 것을 인지하고 있어야 한다.

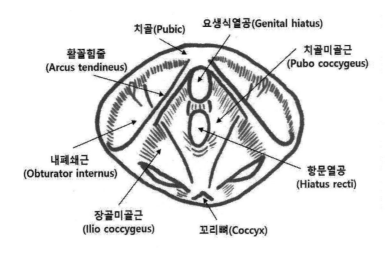

A) 골반횡격막

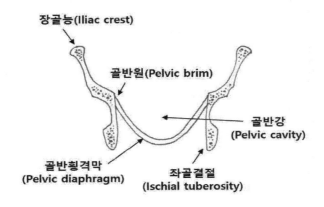

B) 골반강

[그림 3-33] 골반횡격막

이상 본 장에서는 두개천골기법을 위해 필수적으로 알고 있어야 하는 해부학적인 측면에서 두개천골기법을 이해해보고자 접근해 보았다. 해부학적인 내용은 좀 더 효율적인 치유방법을 위해 항상 숙지하여야 하며 정골의학의 창시자인 스틸이 평생 주장했듯이 해부학 책을 항상 옆에 두고 참조하고 연구해야 한다.

쉬어가기: 본질을 보다

초승달, 상현달, 보름달, 하현달, 그믐달, 그리고 다시 초승달……현상이다. 우리 눈에는 이렇게 달이 변화하는 것처럼 보인다. 또한 그 '보임'이 일정한 주기를 두고 반복되는 것을 익히 배워 안다. 하지만 달이 우리에게 미치는 영향을 연구하는 과학자를 제외하고서는 달 자체에 관심을 가져본 사람은 의외로 적지 않을까? 나 역시 실제로 달이 변하지 않는다는 것과 변화하는 듯하게 보이는 것에 대해 관심을 가져본 적이 전혀 없다. 달이 때가 되면 이렇게 보이겠구나 하는 정도, 또는 보름달이 참 맑고 밝다 정도의 얕은 관심만 가질 뿐이다.

이렇듯 깊은 관심을 가지지 않고서는 어떤 사물의 본질을 알 수 없다. 아니 그 본질을 안다고 해도, 달의 본질이 무시되었던 경우와 마찬가지로 우리가 보고 싶어 하는 것만 인식하고 보게 될 것이다. 사실이나 현상에 대한 의문을 가질 필요가 전혀 없을 때 그 본질은 왜곡되고 일부 정보나 현상만이 우리 뇌에 의해 채택되기 시작한다.

즉, 불필요하다고 생각되는 정보는 우리의 선택적 사고방식에 의해 삭제되고 차츰 그렇게 선택된 정보마저 왜곡되어 뇌에 저장되어 버린다. 다시 말해, 달이 달이기 때문에 그리고 달이 과학적으로 나에게 미치는 영향이 무엇인지 알 필요가 없기에 신경을 쓰지 않게 된 것이다. 그러므로 달이 가지고 있는 다른 정보는 사실 우리 마음에 와닿지 않는 것이고, 그것은 우리로 하여금 달의 겉모습에만 관심을 갖게 하는 결과를 초래한다. 예를 들어, 밀물 썰물이 달의 영향을 받는다고 하지만 어부가 아닌 경우에는 그저 밀물과 썰물의 존재를 인지할 뿐이고 달이 그 영향을 끼친다는 것에 별 관심을 가지지 않는 것과 같은 이치이다.

여기서 알 수 있는 것은 첫째, 내가 아는 것, 즉 어떤 사물이나 환경에 대한 어떠한 정보도 내가 선택하지 않으면 아무 소용이 없다는 것이다. 그리고 둘째,

그 정보를 제대로 처리하지 않으면 왜곡된 정보를 받아들이게 되고, 그 정보의 대상조차도 왜곡된 모습으로 우리에게 비춰질 수 있다는 것이다. 어쩌면 아예 관심조차 없는 대상이 되어버린다는 것이다. 관심이 없다면 우리가 그 사물이나 사람에 대해 '안다'고 하더라도 잘못된 정보를 바탕으로 '안다'고 착각하는 것이다. 특히 사람의 경우 '안다는 것'은 사실 굉장히 잘못된 표현이다. 그것은 우리가 '쟁반같이 둥근 달'이라고 달을 일반화하는 것과 같다.

　살아가는데 있어 물건이건 사람이건 간에 그것들이 변해가는 과정에서, 또는 아예 변태되어 우리를 슬프게 하고 혼란스럽게 하는 경우가 종종 있다. 그렇지만 그 본질을 보게 되면, 아니 볼 수만 있다면 세상이 편해지지 않을까 생각해 본다. 그렇기 때문에 감정, 상황……그 어떤 것이 우리 눈앞에 나타나더라도 그 본질을 볼 수 있게끔 먼저 충실히 스스로를 보는 훈련을 해야 한다.

　어떻게 하면 내가 이렇게 변화하는듯한 것들을 제대로 볼 수 있을까? 첫째, 어떤 대상에, 그것이 상황 또는 사람에 상관없이, 관심을 가져야 한다. 만약 우리가 스스로 원하여 달에 관심을 갖기만 한다면, 달이 변화하는 현상에만 머물지 않고 그 본질을 볼 수 있을 것이다. 마찬가지로 우리를 둘러싸고 있는 많은 사람들의 경우에도 우리가 관심만 갖게 된다면 그 본질, 즉 사람됨을 제대로 볼 수 있을 것이다.

　두 번째는 그러한 대상(현상 또는 상황을 포함한)에 대해 올바른 질문을 하는 것이다. 달은 어떻게 저렇게 변화를 주기적으로 하는가? 그는 어떻게 항상 웃음을 지을 수 있을까? 무엇이 그녀를 그렇게 당당하게 행동할 수 있게 하는가? 이러한 질문이 바로 우리가 '대상'을 제대로 볼 수 있게 만드는 강력한 도구이다. 우리는 어떤 대상이 비록 일반화되어 있을지라도, 그리고 그것이 보이는 그대로만 해석되어 이미 많은 정보가 삭제되었다 할지라도, 절대로 그것을 왜곡시켜 판단하는 우를 범해서는 안 된다.

　다시 말하지만, 어떤 대상이든지 우리가 관심만 가진다면 그것에 대해 제대로 된 질문을 할 수 있고 그것으로 인해 우리에게 영향을 끼치는 사물 또는 사람에 대한 정확한 정보를 얻고 올바른 판단을 할 수 있다. 그렇게 해야만 우리가 미약하게나마 맑고 바른 세상을 이루는데 도움을 줄 수 있다.

Chapter IV

치유프로토콜

CranioSacral Healing Technique Unleashed

Understanding the Healing Protocols and Application of the CST

    본 장에서는 두개천골기법의 치유원리와 기본적인 치유를 위한 방법론적인 차원에서 접근하였다. 우리가 항상 신비스럽게 생각하고 있던, '시술자의 손이 움직이지도 않았는데 피시술자는 이상한 느낌을 받았다는 것'과 같은 현상에 대해 논하고자 한다. 왜 우리의 손이 따뜻해야 하는지, 왜 5g 정도의 힘을 사용하는 것이 좋은지, 풀림 현상이란 무엇인지 등 '그냥 하면 된다.' 식이 아니라 좀 더 의과학적이고 실용적인 방법을 제시하고자 한다.

감각

감각은 삶을 꾸려나가기 위해 필수적인 자극을 받아들이는 센서
seonsor이다. 이러한 센서들은 신체 곳곳에 있어 위험으로부터 우리를
보호하고 제대로 된 음식을 먹고 사람과 사람 간의 체온을 느낄 수
있게 한다. 그중 이러한 센서가 가장 많이 분포된 곳이 피부이다.

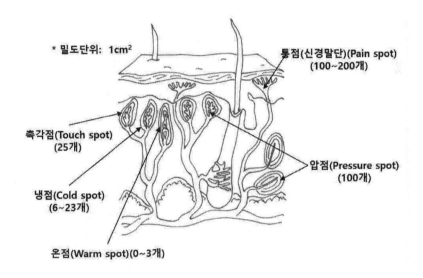

* 밀도단위: 1cm²

통점(신경말단)(Pain spot)
(100~200개)

촉각점(Touch spot)
(25개)

압점(Pressure spot)
(100개)

냉점(Cold spot)
(6~23개)

온점(Warm spot)(0~3개)

[그림 4-1] 피부의 감각수용체

피부는 따뜻함, 차가움, 압력(낮은 압력과 깊은 압력), 통증 그리고 촉각
의 다섯 가지 감각을 느낄 수 있는 감각수용체receptor를 가지고 있다.
감각수용체를 통해 신체에 발생한 자극은 대뇌피질로 전달돼 해석되
고 적절한 반응이 발생하게 된다. 물론 이러한 느낌이 복합적으로
나타날 수 있다.

피부는 현재의 피부 온도를 기준으로 하여 그것보다 온도가 높을 때 따뜻하게 느끼고 그것보다 온도가 낮을 때 차갑다고 느낀다. 이는 따뜻한 것을 느낄 수 있는 온점과 차가움만을 느낄 수 있는 냉점이 피부에 존재하기 때문이며 온점은 1㎠당 0~3개가 존재하고 냉점은 1㎠당 6~23개로 냉점이 온점보다 많다. 극단적인 예로, 만약 담뱃재 같은 뜨거운 물체가 차가움만을 느낄 수 있는 냉점에만 접촉된다면 뜨겁다는 것을 느낄 수 없고 피부는 뜨거운 느낌 없이 화상을 입을 수도 있다는 것이다.

물론 다른 감각들, 예를 들어 촉각에 의해 뭔가 피부에 닿았다고 느끼게 될 것이고 화상으로 인해 상처가 나는 피부를 눈으로 보고 그 물체를 털어낼 것이다. 이렇게 우리는 많은 감각을 통해 우리 몸을 보호하고 생존을 유지하고 있다.

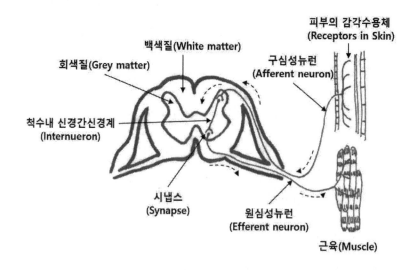

[그림 4-2] 감각 전달체계

언급되었듯이 다양한 방식의 두개골요법 또는 두개천골기법이 있다. 접촉의 강도 및 방식 또한 상이하다. 하지만 본 저서에서 다루는 두개천골기법은 가벼운 접촉을 기본으로 한다. 이유 중 하나는 두개골의 움직임을 만들기 위한 강한 접촉은 저항점을 만들기 때문이며 통점 및 압점의 강한 자극으로 인해 주변 조직의 수축이 일어나기 때문에 원하는 교정효과를 보기 힘들다. 또한 너무 강한 접촉으로 인해 교정의 축이 바뀔 수 있다. 또 다른 하나는 아주 미세하게 움직이는 두개천골의 감을 강하게 접촉함으로써 느낄 수 없기 때문이다. 우리가 느끼는 감각은 접촉하는 시간이 너무 짧아도 느끼지 못하고 같은 강도로 오래 접촉하여도 익숙해져서 느끼지 못한다.

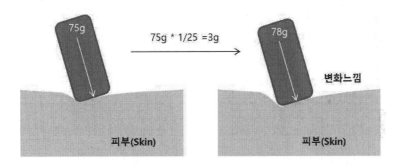

[그림 4-3] 무게변화의 느낌

눌리는 느낌 즉 압력은 피부 표면의 형태가 변할 때만 지속적으로 느껴진다. 피부 위에 어떤 물건을 올려놓으면 당연히 압을 느끼게 된다. 하지만 그 무게의 1/25 이상의 무게가 증가하지 않는 경우 우리는 무게의 변화를 느끼지 못한다. 예로 우리가 피시술자의 횡격막부위에 75g 정도의 무게로 접촉을 하였다면 3g 이상의 압을 더 가하지 않는 이상 피시술자는 무게 변화를 느끼지 못한다. 이와 같은 이유로 우리가 지그시 아주 천천히 압을 가할 경우 피시술자가 전혀 느끼지 못 할 수 있다. 대부분의 정골의학 방식의 연부조직기법은 이렇게 천천히 그리고 가벼운 접촉으로 행하여진다.

우리는 피부 위를 초속 1mm 속도록 이동하는 이물질을 느낄 수 있을 뿐 아니라 연구에 의하면 1cm의 1/10000의 길이나 높이 차이를 손가락으로 구분할 수 있다는 것이 밝혀졌다. 당연히 이러한 촉감은 훈련에 의해 더욱 발달 될 수 있다. 많은 달인들이 손가락으로 물건, 물체 등을 만지고 질을 구분하는 것도 이와 같은 이유이다. 미세한 홈을 파놓은 화투 패를 가지고 상대방을 희롱하는 타짜들의 경우도 마찬가지이고 점자를 읽는 시각장애인들의 촉각 또한 놀랍다.

피부에서 접촉을 느끼는 촉점은 $1cm^2$당 6~30개 정도가 있으며 특히 손가락 끝과 혀 끝에 많이 분포된다. 보통 손가락 끝으로는 간격이 2mm 이상 떨어지지 않으면 두 점으로 느낄 수 없다. 등의 경우 60mm 이상 떨어지지 않으면 점을 두 점을 구분하지 못한다. 성인의 경우 전체 피부에는 600,000개 이상의 감각 수용기가 있으며, 신체의 다른 부위보다 더 많은 신경종말이 있다.

우리가 손을 사용하는 이유는 손가락 끝이 가장 민감한 영역 중의 하나이며, 평방 인치당 50,000개 이상의 신경종말이 있기 때문이다. 손가락 끝은 집파리의 평균 무게인 0.02g 이하의 압력에도 반응할 정도로 민감하다. 혀의 경우 1mm 간격의 두 점을 구분할 수 있지만 당연히 촉진이나 치유를 혀로 할 수 없기 때문에 손과 손가락으로 하는 것이다. 마찬가지로 우리가 두개골이나 신체를 접촉할 경우 피시술자가 손이 닿지 않았다고 느낄 수 있는 것도 바로 이러한 촉점 때문이다.

또한 손바닥에는 1cm^{2}당 압점이 손등에 비해 10배 이상 많다. 이러한 자극을 대뇌피질에서 처리하는 부위 또한 손이 대부분의 다른 부위에 비해 현저히 크다. 그렇기에 손을 사용 하는 것이 가장 효율적이다.

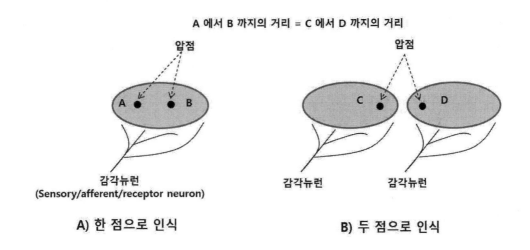

A 에서 B 까지의 거리 = C 에서 D 까지의 거리

A) 한 점으로 인식   **B) 두 점으로 인식**

[그림 4-4] 점으로 느끼는 거리

감각연습을 하는 이유는 바로 두개골이나 뇌천수액의 미세한 운동성 또는 흐름을 눈으로 절대로 파악할 수가 없기 때문이다. 그러한 신체와의 대화는 손으로 하여야 한다. 손의 뛰어난 감각으로 두 개골의 움직임을 찾아내고 그것을 듣고 정보처리를 하는 것이다. 또한 피부는 수정과 같은 물질에 압력을 가했을 때 생기는 압전기와 같은 미세한 전기가 피부에서 발생하고 이는 온도가 높거나 압력이 강할수록 더 많이 발생한다.

시술자와 피시술자의 접촉에 의해 시술자의 손에서 느끼는 압력 변화는 온도변화를 가져오고 피시술자의 모든 정보를 손의 흐르는 미세전기를 통해 흡수하고 처리하여 피시술자의 상태를 읽어낼 수 있다. 마찬가지로 접촉하는 손의 온도가 높을수록 이러한 미세전기의 양도 높아지기 때문에 진단과 촉진할 때 도움이 된다.

5g(100원짜리 동전 무게 정도 = 약 5.42g) 정도의 가벼운 접촉을 유지하기 위해서는 어깨의 힘을 빼는 것도 중요하다. 손끝의 감각을 최대한 살리기 위함이고 끊임없는 연습을 통해 감각을 키우는 태도가 필요하다. 절대적으로 자만하여서는 안 된다.

사람의 신체를 다루는 일이기에 정성을 다해 감각을 익히고 이론과 해부학을 공부해야 한다. 문자로 대화하는 사람들을 보라 그들은 눈으로 자판을 보지 않는다. 위치가 이미 뇌에 저장되어 있고 손은 그저 단순히 정보만을 전달하는 역할을 한다. 연습이 이것을 가능하게 한다. 두개천골기법을 제대로 익히기 위해서는 감각. 즉 촉진 연습을 게을리 해서는 안 된다.

작용과 반작용

  뉴턴에 의한 제3법칙인 작용과 반작용 법칙에 의하면 모든 작용에는 크기가 같고 방향이 반대인 반작용이 항상 존재한다. 다시 말해 두 물체가 서로에게 미치는 힘은 항상 크기가 같고 방향이 반대이다. 두개천골기법에서 후두기저풀이(OA 또는 AO Release)라는 기법이 있다. 후두골인 occipital과 경추 1번(환추)인 atlas를 분리시키는 기법이다. 이를 위해 손을 컵 모양으로 만들어 손가락 끝이 평행이 되게 세우고 이를 후두골과 환추 사이에 위치하게 하는 것이다. 이렇게 할 때 문제가 되는 것이 바로 작용과 반작용의 법칙에 의한 힘의 조절이다.

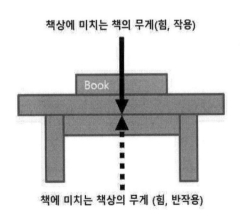

[그림 4-5] 뉴턴 제3법칙-작용과 반작용

  왜 이것이 문제인가 하면 두개천골기법에서는 힘을 빼고 접촉하는 것이 원칙이기 때문이다. 물론 힘이 들어간다고 해서 생체리듬을 못 읽거나 미세한 근막의 움직임을 못 읽어낸다는 것은 아니다. 숙련되면 많은 것을 읽어내고 적절한 치유를 할 수 있다. 하지만 힘이 빠져 있는 상태에서의 접촉이 더 많은 정보를 손을 통해 전달할 수 있다.

힘을 강하게 가하는 순간 작용과 반작용에 의해 해당 조직이 긴장한다. 방어기제가 발동하여 주변 조직의 긴장을 유발하게 된다. 해당 조직이 풀린다고 해도 오래 걸릴 수밖에 없고 시원한 느낌이 들어도 사실 제대로 적용된 기법이 아니기에 오히려 플라시보효과placebo effect를 내는 것에 불과하다. 일부 마사지나 경락을 잘못 받은 경우 몸이 돌같이 굳어 있는 것을 볼 수 있다. 그렇게 되다 보니 더 강한 압을 요구하게 되는 악순환이 지속된다. 이미 심층근막까지 긴장을 형성하여 기계적인 스트레스를 유발하는 상태이다.

힘을 가할 경우 이렇게 조직의 손상이 올 수 있음은 물론이고 두개천골기법을 사용할 경우 절대로 힘을 빼야 하는 것은 힘이 빠져 있어야만 피시술자와 '융합'이 될 수 있고 그렇게 해야만 제대로 된 정보를 받아들일 수 있기 때문이다. 손에 존재하는 많은 감각들은 강한 압이 가해지거나 압이 지속적으로 적용될 때에 손끝에서 일어나는 것을 알아낼 수 없다. 즉 강한 압에 의해 말단 신경 및 촉점의 감각기능이 떨어지게 되기 때문에 두개골의 움직임을 찾아내기 힘들다.

[그림 4-6]과 같이 OA풀이 기법에서 주의해야 할 것은 지속적으로 작용과 반작용에 의해 손에 힘이 들어가는 것이다. 후두골에 어제부와 소어제부를 접촉하여 적절한 지지대를 만들어 주고 엄지를 제외한 네 손가락을 사용하여 지복에 힘을 최대한 빼고 환추를 전면으로 밀어 올려 후두골과 환추를 풀면서 OA풀이를 할 수 있어야 한다. 환추가 후두골로부터 자유롭게 되었을 때(후두하근 부위 근육이 풀려 gel느낌에서 sol느낌으로 바뀜) 검지와 중지로 환추를 받쳐 들고 약지와 소지로 후두골을 상방으로 끌어당겨 후두골과 환추 간 움직임을 자유롭게 하여 OA풀이를 완성해주도록 한다. 힘을 제대로 빼어서 접촉을 한다면 이 상태에서 후두골 기법을 사용할 수도 있다.

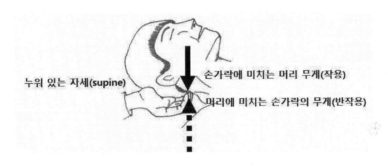

누워 있는 자세(supine)　손가락에 미치는 머리 무게(작용)
머리에 미치는 손가락의 무게(반작용)

[그림 4-6] 후두-경추 1번 풀기에서의 작용과 반작용

힘을 빼야 주변 근육이 긴장을 안 하고 제대로 된 정보를 제공하게 된다. OA풀이 기법 적용 시 중력에 의해 손에 작용. 즉 힘이 가해지게 되고 무의식적으로 손은 그 힘에 반하는 동등한 힘을 가하게 되는 것이다. 절대로 의식하여 힘을 수시로 빼는 연습을 해야 한다. 만약 힘이 많이 들어가 있다면 절대로 갑자기 힘을 완전히 빼면 안 되고 서서히 힘을 빼야 한다. 갑작스러움은 다시 주변 근육과 근막체계에 긴장을 유발할 수 있기 때문이다.

다시 한 번 말하지만 이렇게 힘을 지속적으로 빼내려고 해야 하는 이유는 작용과 반작용 때문이다. 특히 OA 작업이나 골반횡격막 등 횡격막작업을 할 경우 피시술자의 무게가 손에 지속적으로 작용한다. 무의식적으로 이러한 힘에 반하는 힘이 시술자의 손에 생기게 된다. 다시 말해, 무게와 중력의 작용에 반작용적인 힘이 생기게 되어 피시술자의 몸을 들어 올리게 된다. 그뿐 아니라 이렇게 함으로써 손의 감각도 떨어지고 피시술자에게 힘을 가하여 피시술자를 긴장하게 만든다. 하지만 힘을 뺀다고 해서 의념을 제거하는 것은 절대 아니다. 또한 어제부와 소어제부로 하여금 지속적인 감지를 계속하여 손이 저리는 것을 방지하여야 한다.

횡격막풀이를 하는 경우 특히 처음 두개천골기법을 접하는 경우라면 아래에 있는 손, 즉 피시술자의 후방에 접촉한 손의 손등을 시술용 테이블로 밀어 작용에 대한 반작용을 감소시키는 연습을 하는 것이 좋다.

두개천골기법에 있어 절대로 해서는 안 되는 것이 바로 손가락 끝으로 접촉을 하는 것이다. 이것은 압을 한 군데로 모아 압을 높이며 통증을 유발시킨다. 통증이 유발되면 당연히 신체의 방어기전이 작동한다. 아무리 근육이 두꺼운 경우라도 손가락 끝을 사용하는 것은 피해야 한다. 대신 지복을 사용하고 피부 접촉 시 또는 근막을 접촉할 경우 사선방향으로 접촉 후 서서히 압이 증가되어야 한다.

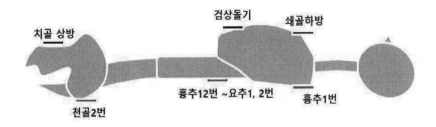

A) 측방에서 본 모습

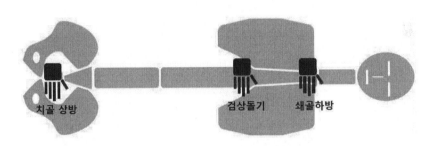

B) 전방에서 본 모습

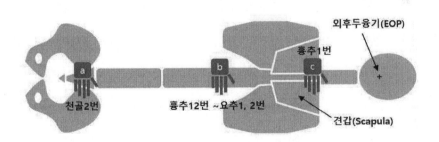

C) 후방에서 본 모습

[그림 4-7] 횡격막풀기 시 손의 위치 - 작용과 반작용

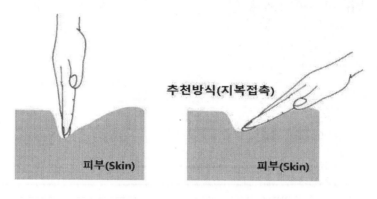

[그림 4-8] 두개천골기법에서의 손 접촉 방법

조직 풀림

두개천골기법 및 정골의학의 연부조직기법 전반에 걸쳐 가장 많이 받는 질문은 '언제 적용하고 있는 기법technique을 멈추는가?'이다. 카이로프랙틱이나 정골의학의 HVLAHigh Velocity Low Amplitude와 같은 관절 교정기법의 경우 진공상태의 활막관절synovial joint에서 가스gas교환이 일어날 때 생기는 '딱' 하는 소리popping sound - 버블포장지 터지는 소리와 비슷함로 쉽게 구분할 수 있다. 물론 항상 생기는 소리는 아니지만 그러한 기준을 가지고 있다. 그렇다면 두개천골기법에서는 과연 언제 교정 또는 치유가 되었다고 간주하고 다음 기법을 적용시키는가? 아주 드물게 연부조직기법을 사용하거나 두개천골기법을 적용할 경우 관절부위나 두개봉합에서 '턱' 하는 소리가 날 경우가 있다. 하지만 대부분의 경우 연부조직을 치유하는 것이기에 소리가 나지 않는다. 대신 풀림release이라는 현상을 기준으로 삼는다. 보통 조직 풀림 또는 단순히 풀림은 사용하는 기술이 제대로 적용되었는지를 판가름 할 수 있는 기준이 되는 느낌으로 피시술자의 신체가 전체적으로 이완되거나 해당 부위의 조직이 부드러워지는 느낌이다. 하지만 풀림이 일어났다고 해서 치유 세션이 다 끝난 것은 아니고 단순히 그 단계의 치유만 끝났다는 것을 나타낸다. 조직 풀림 현상에는 여러 인자가 작용된다. 이러한 인자가 하나 또는 하나 이상 일어났을 때 시술자는 풀림 현상을 느낄 수 있다.

이러한 인자들은:

- 수축 명령에 반응하여 수축하고 긴장하고 있던 치유부위에서 이완이 일어나 수축하고 있던 조직 형태가 원래 형태로 돌아오는 상태이다.

- 조직에 존재하는 점성과 탄성의 한계점을 넘어 조직의 점액성분이 탄성 조직으로 변화 하여 새로운 탄성을 형성하는 균형점이 생긴다.

- 치유하는 조직 부위의 에너지 흐름이 좋아지는 느낌으로 해당부위에서 시술자의 손이 밀려나가는 느낌을 받는다. 물리학에서는 이를 전자기력이라고 한다. 하전 물체들(전하를 가질 수 있는 물체들 - +

또는 - 전기를 띄는 물체들)내 원자들 간의 전기적 척력repulsive force을 느끼는 것이다.

● 치유하는 조직을 통해 주변조직의 혈액, 림프, 간질액 등 체액 흐름의 양이 늘어나면서 치유부위에서 열이 발산된다. 수축되어 체액의 흐름을 방해하던 조직이 풀려 체액의 흐름이 높아지고 빨라져서 열이 발산되는 것이다.

● 손바닥과 손가락에 작은 물방울들이 톡톡 터지는듯한 박동을 느낄 수 있으며 심장박동과 다른 미세한 치유박동이 풀림에 따라 높아지거나 감소하는 느낌이 나타난다. 이는 또한 아주 미세한 전기 자극처럼 느껴질 수도 있다.

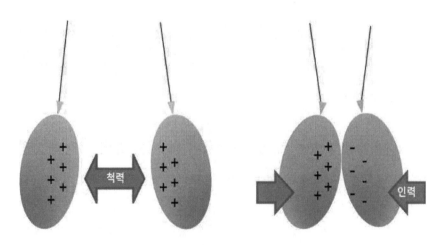

[그림 4-9] 풍선으로 설명되는 전기적 척력과 인력

조직의 풀림은 경험을 통해서만 이해할 수 있다. 연부조직의 풀림이란 마치 해당 조직이 어느 한 지점을 중심으로 원형으로 퍼지는 느낌이 강하게 드는 것이다. 더 정확히 설명하자면 원형으로 퍼지는 느낌보다는 그 지점을 중점으로 하여 근육 또는 연부조직의 형성 방향을 따라 양방향으로 어느 정도 같은 거리로 퍼지는 느낌이 더욱 크다. 이러한 풀림의 일반적인 신호는 다음과 같다.

- 연부조직의 부드러워짐과 늘어남
- 체액 및 에너지 흐름의 증가로 인한 열감
- 척력에 의한 에너지적 밀어냄
- 치유박동의 감소
- 피시술자의 깊은 호흡 등 호흡변화

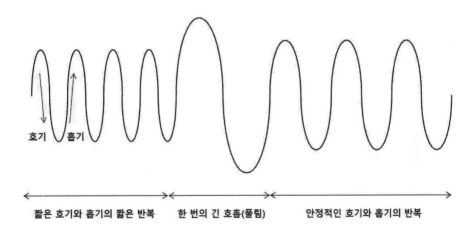

[그림 4-10] 호흡변화

중요한 것은 풀림이란 연부조직의 변화를 뜻하는 것으로 어떤 미세한 피부조직의 변화도 풀림을 나타내는 것으로 보아야 하며 호흡 주기 및 호흡 깊이의 변화도 중요한 풀림의 징후로 볼 수 있다.

모빌리티 vs. 모틸리티

모빌리티mobility는 외적인 힘에 반응하는 조직 또는 장기의 수동적인 움직임이다. 가동성을 만드는 관절은 뼈를 관장하고 있는 근육 등의 연부조직을 움직여 주는 경우가 대부분이다. 물론 뼈 자체를 움직이는 경우도 있다. 하지만 두개천골기법에서는 뼈 자체의 가동성보다는 연부조직의 가동성에 그 중점을 둔다.

두개골과 천골이라는 뼈 이름 때문에 골격의 가동성을 논하기는 하지만 두개골과 천골을 중심으로 두개천골기법을 행하는 가장 큰 이유는 내부 장기인 뇌, 경막 등 연부조직의 가동성을 만들기 위해 두개골과 천골을 접점을 사용하는 것이다. 기본적인 가정 자체가 경막과 CSF의 흐름에 의한 가동성이 굴곡과 신전이라는 두개골의 움직임을 만들어 내기 때문이다.

다시 말해 내부조직인 경막의 가동성을 만들어 균형을 이루게 하기 위해서나 대뇌겸과 소뇌천막 그리고 소뇌겸 등의 상호긴장막을 유지하기 위함으로 직접적으로 우리가 표피조직처럼 만질 수 없는 조직들을 골격계를 통해 조정하기 위함이다. 당연히 두개골 뇌막 또한 모빌리티를 가지고 있다. 예를 들어 호흡 또는 심장박동과 횡격막의 호흡 시 움직임과 같이 수의적 또는 불수의적 움직임이 바로 이러한 외적인 힘으로 작용하여 다른 조직의 움직임을 만들어 낸다.

두개천골기법에서는 두개골이나 천골의 움직임이 경막에 모빌리티를 발생시킬 수 있다는 것을 전제로 한다. 두개골 뇌막이나 경막관이 제대로 기능하기 위해서는 각 조직의 어떠한 제한도 없이 해당조직과 관계되는 조직에 대해 움직일 수 있어야 한다. 제한이란 다른 구조에 고정 또는 유착으로 아무리 그 제한이 경미하더라도 해당 조직에 기능적인 문제를 가져온다.

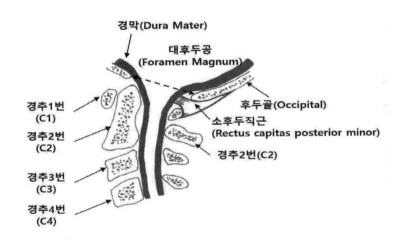

[그림 4-11] 두개천골시스템과 경막의 관계

또한 각 조직들은 모틸리티motility라고 불리는 능동적이면서도 본질적인 움직임을 갖는다. 주로 장기가 가지는 현상으로 뇌 자체에도 이러한 움직임이 있으며 척수에도 존재한다. 즉 외부에서 어떠한 힘이 가해지지 않았을 경우에도 나타나는 조직 움직임이다.

호흡횡격막에 의한 호흡 시 간liver의 움직임은 모빌리티이며 호흡을 멈추었을 경우에도 발생하는 아주 미세한 간의 움직임은 모틸리티이다. 말 그대로 아주 미세한 움직임이기 때문에 찾아내기가 힘들며 많은 연습과 수련이 필요하다. 이러한 모틸리티는 장기마다 고유하며 발생학적 발전 및 변화 방향을 그대로 따른다.

경막 자체에도 형성할 당시 생성된 방향성을 가지고 있기에 이를 따라 움직이려고 하는 모틸리티가 있다. 하지만 모틸리티는 CSF의 발생에 의해 생기는 경막의 움직임이나 뇌의 움직임과는 확연한 차이가 있다. 모틸리티는 주로 장기교정에서 사용되지만 장기의 모틸리티는 두개천골의 리듬보다 강하기 때문에 강한 접촉(20~100g)을 하여도 무방하다.

경막 및 뇌의 모틸리티는 유체역학fluid dynamics의 간섭에 의해, 다시 말해 CSF의 흐름, 주변 혈액흐름에 의해 구분 짓기가 아주 힘들다. 그렇기에 기본적인 두개천골기법에서는 모틸리티보다는 모빌리티에 역점을 둔다.

모빌리티나 모틸리티의 경우 필히 알아야 할 것은 첫째, 둘 다 움직임을 표현한다는 것이고 둘째, 움직임은 적어도 한 개의 움직임 축, 즉 기준점을 가지고 있다는 것이다. 이 축을 기준으로 모빌리티나 모틸리티가 일어나게 되는데 그 움직임의 방향은 다양하다. 모빌리티의 경우 언급되었듯이 골격을 중심으로 축을 형성하기 때문에 작업이 용이하지만 모틸리티는 장기 자체의 중심을 찾아야 하기 때문에 난해할 수 있다.

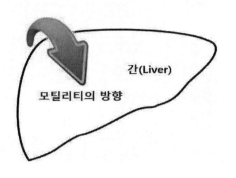

[그림 4-12] 간의 모틸리티

축

두개천골시스템에서 모든 움직임은 기준점을 중심으로 하여 만들어진다. 이 기준점을 축$_{axis}$이라고 한다. 축은 여러 곳에 생길 수 있다. 두개천골기법에서 두개골 자체의 움직임을 만드는 축이 각 뼈마다 존재한다. 연부조직의 경우에도 축의 개념을 적용시켜야 한다. 그래야만 균형이라는 개념이 적용될 수 있기 때문이다. 정골의학의 가장 중요한 개념이 균형을 맞추는 것이기에 그렇다. 또한 움직임에 있어 축이 없으면 상호 기준이 모호해지기에 기술 전수가 힘들어진다. 두개천골의 리듬에 따라 굴곡과 신전을 반복하는 두개골 및 천골 그리고 다른 골격들 또한 당연히 축을 중심으로 굴곡과 신전을 반복할 뿐이다. 움직임은 굴곡과 신전 외에도 이동$_{translation}$과 회전$_{rotation}$이 있다. 사실 굴곡과 신전은 한 축을 중심으로 발생하는 회전

의 방향을 다르게 표현한 것이다. 그렇기에 한 축에 있어 움직임은
축을 따라 이동과 그 축을 중심으로 회전만이 있을 뿐이다.

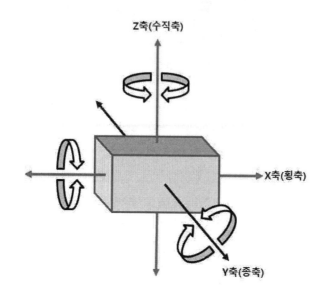

[그림 4-13] 뼈의 축과 그에 따른 움직임

우리가 치유를 위해 두개천골기법을 적용할 경우 항상 3차원적
으로 생각해야 한다. 즉 X, Y, Z 축을 따라 위치가 정해지는 입체적
인 형태를 생각해야 하는 것이다. X는 횡축transverse, Y는 종축longitudinal
그리고 Z는 수직축vertical로 표현된다. 횡축은 측방과 측방을 잇는 축
이고 종축은 전방과 후방을 잇고 수직축은 상방과 하방을 잇는 축이
다. 보통 종축과 수직축에서 혼동이 있다. 둘 다 길이를 나타내는 것
이기 때문에 그럴 수 있다. 이는 이러한 축의 개념이 비행기의 비행
을 위한 축을 기준으로 한 것에서 시작하였다는 것을 알면 이해가
쉽다. 비행기 조정석(코 부분-전면)에서 꼬리(후면)까지가 길기에 종축이라

고 표현되었다. 날개에서 날개로 연결되는 축을 횡축이라고 하였고 비행기 위아래를 연결하는 축이 수직축이다.

접형골의 경우 3개의 축을 적용시켜 장애를 이야기하지 않을 경우 횡축을 따라 굴곡과 신전운동이 있으며 종축을 따라 염전운동, 수직축을 따라 측굴곡이 존재한다. 하지만 장애를 다루는 경우, 총 6개의 축상 장애 형태가 나타난다.

서덜랜드는 이를 횡축에서 회전 장애인 굴곡flexion, 신전extension과 이동장애인 수직변형vertical strain(회전축으로 적용할 경우 수직변형은 횡축에서의 회전 변이라고 할 수 있다), 종축을 중심으로 염전torsion(염전변이의 경우 접형골의 좌, 우측 대익을 기준으로 하기에 좌, 우 염전의 기준이 바뀔 수 있다) 그리고 수직축을 중심으로 측굴곡side bending과 외측변형lateral strain이 있다. 물론 후두골과의 관계상에서 나타나는 장애를 중심으로 하고 있다.

측굴곡은 후두골과 반대방향으로 회전하는 것을 나타내고 외측변형은 같은 방향의 회전을 나타낸다. 7번째의 장애인 압박compression 장애는 축을 형성하는 면 자체가 바뀐다. 접형골의 장애는 복잡성과 기술의 난이도로 인해 이 책의 범위를 벗어나므로 이 정도의 장애가 있을 수 있다는 것을 인지하기 바라며 가장 심한 장애인 반면 치유기법이 의외로 간단하기에 압박 장애를 가정하고 치유하는 방법만을 후에 다루기로 한다.

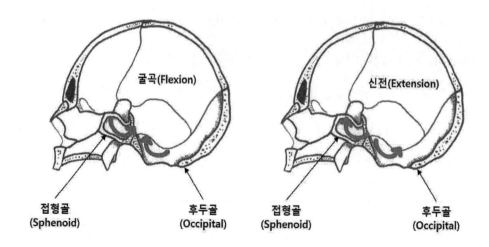

굴곡(Flexion)

신전(Extension)

접형골
(Sphenoid)

후두골
(Occipital)

접형골
(Sphenoid)

후두골
(Occipital)

A) 굴곡신전변이

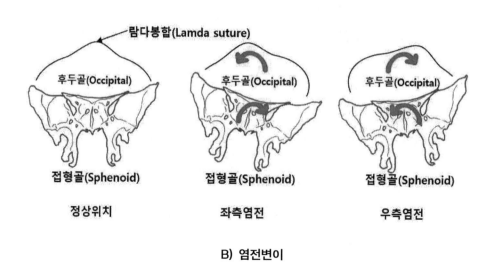

람다봉합(Lamda suture)

후두골(Occipital)

후두골(Occipital)

후두골(Occipital)

접형골(Sphenoid)

접형골(Sphenoid)

접형골(Sphenoid)

정상위치

좌측염전

우측염전

B) 염전변이

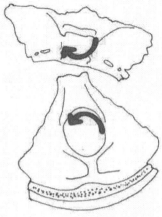

우측(볼록)측방굴곡   좌측(볼록)측방굴곡

C) 측방굴곡변이

우측으로 이동용이   좌측으로 이동용이

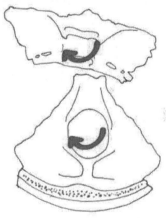

우측외측변형   좌측외측변형

D) 외측변형변이

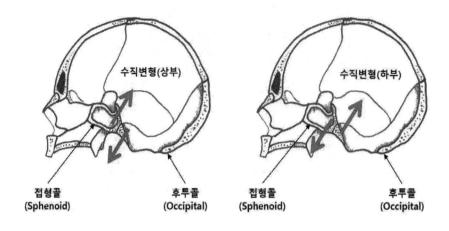

E) 수직변형변이

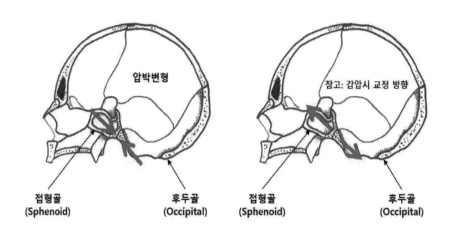

F) 압박변이

[그림 4-14] 접형골 변이

천골도 마찬가지로 축을 바탕으로 3차원적인 운동을 한다. 이렇
듯 두개천골기법에서 표현하는 모든 움직임은 축을 따라 운동한다는
것을 필히 기억해야 한다.

굴곡과 신전

보통 골격계를 다룰 경우 굴곡은 관련된 두 개 이상의 골격이 이루는 각이 좁아지는 것을 나타내고 신전이라고 하면 그 각이 커지는 것을 나타낸다. 그림에서와 같이 주관절의 경우 상완과 전완의 각이 좁아지는 경우 굴곡이라고 하며 그 각이 커지는 것이 신전이다. 하지만 이렇게 정의할 수 있는 골격은 가끔 각의 기준을 잡는 기준 때문에 혼동을 가져올 수 있다. 굴곡은 태아자세로 골격이 움직이는 경우이고 신전은 그 반대로 움직이는 경우이다.

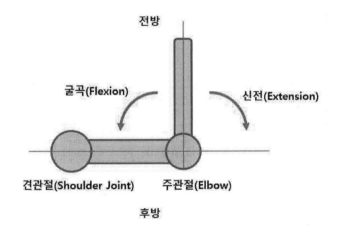

[그림 4-15] 주관절의 굴곡과 신전

하지만 두개천골계에서 굴곡은 약간 다르기에 정확하게 이해하도록 해야 한다. 신체 중앙에서 멀어지도록 움직이는 것을 굴곡$_{flexion}$이라고 하고 중앙으로 가까워지는 것을 신전$_{extension}$이라고 한다. 사실 이러한 움직임에 대한 용어는 신체에서 뼈의 움직임에 명명되어진 용어이다. 하지만 파동의 특징에 따른 움직임을 명명하기 위해 굴곡은 인스퍼레이션inspiration, 신전은 엑스퍼레이션expiration이라고 정의했다.

[그림 4-16] 태아자세 - 굴곡

바렐은 장기교정에서 장기의 움직임에 대한 차별화를 두기 위해 인스피어inpir와 엑스피어expir라는 용어를 사용하였다. 하지만 여기서는 평범하게 쓰이는 굴곡과 신전이라는 용어를 사용하기로 한다. 두개골에서 굴곡은 접형골과 후두골의 움직임을 기준으로 잡는다. 당연히 후두골과 경막을 통해 연결된 천골도 기준이 될 수 있다. 이 세 가지 뼈를 기준으로 하는 것은 이 세 가지 뼈가 신체 중앙에 있으며 단일 구성 뼈single bone라는 것 때문이다. 물론 가장 기본이 되는 것은 접형골이지만 접형골을 통한 두개천골리듬의 움직임을 직접 파악하기 힘들기 때문에 후두골과 천골을 기준으로 삼는다.

후두골의 외측 확장인 굴곡으로 인해 주변 뼈들의 벌어지는 형상, 즉 두개골이 횡축으로 확장되는 느낌을 찾을 수 있으며 기어가 맞물리듯이 접형골은 횡축을 기준으로 하여 상방에서 전방으로 회전하는 즉 전면부가 내려가는 움직임을 갖게 된다. 신전은 반대로 후두골의 기저부가 뒤로 나오는듯하여 전체 두개골이 횡축으로 좁아지고 종축으로 길어지는듯한 느낌을 갖게 된다. 물론 이러한 모든 움직임이 아주 미세하기 때문에 5g 정도의 힘으로 촉진하고 치유세션을 하게 되는 것이다. 천골의 경우 굴곡 시 천골저가 후방으로 내려가듯이 움직이게 되며 신전 시 전방으로 움직이는 형태를 갖는다.

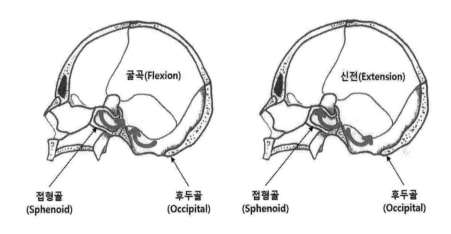

[그림 4-17] 후두골과 접형골의 굴곡, 신전의 방향

　　단일 뼈의 경우 이러하지만 짝을 이루고 있는 뼈는 굴곡 할 경우 외회전을 하고 신전 할 경우 내회전을 하게 된다. 장골을 예로 들면, 천골과 장골의 관절면이 경사를 이루고 있기 때문에 천골의 굴곡에 의해 장골이 외회전 할 수밖에 없으며 천골이 신전할 경우

다시 돌아오면서 내회전을 하게 된다. 이러한 현상은 모든 짝뼈paired
bone에서 이루어진다. 짝뼈의 경우 기준을 수직축으로 잡는 것에 유의
하도록 한다.

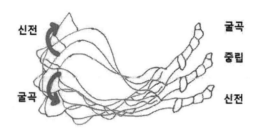

[그림 4-18] 천골의 굴곡과 신전

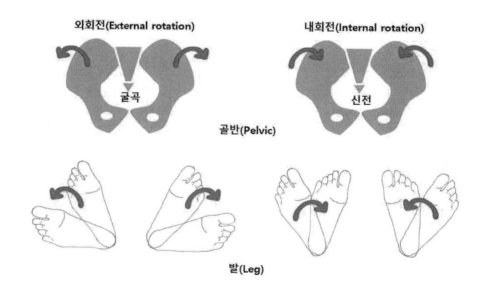

[그림 4-19] 짝뼈의 굴곡과 신전

스틸포인트

컴퓨터에 문제가 생기거나 반응속도가 느려졌을 경우 전원을 아예 껐다 켜는 경우가 많다. 이를 통해 컴퓨터가 다시 기능을 제대로 하게 할 수 있다. 스틸포인트still point도 컴퓨터의 리부팅rebooting과 마찬가지로 신체의 활동을 조절하기 위해 두개천골계 전체를 잠시 껐다 켜는 것으로 보면 된다. 스틸포인트는 가만히 있는 지점 또는 기간 내지는 순간을 나타낸다. 정골의학 방식의 두개천골기법에서 특히 강조하는 것이 바로 스틸포인트이다. 이는 굴곡과 신전 또는 대칭성 움직임에 있어서 중립상태 즉 굴곡에서 신전으로 또는 신전에서 굴곡으로 전환할 때 생기는 중립의 아무런 움직임이 없는 순간과 같은 상태이다.

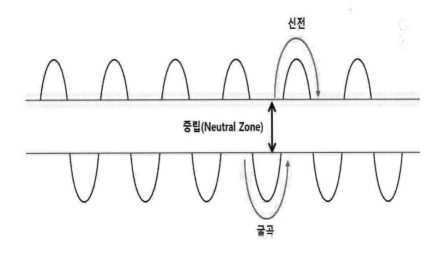

[그림 4-20] 중립상태

하지만 스틸포인트는 두개천골계의 움직임이 완벽하게 정지된 상태로 보통 중립단계보다 더 오래 유지된다. 모든 두개천골계의 움직임은 어느 순간이든 중립으로 돌아가려고 하는데 이러한 움직임에 가벼운 저항을 지속해서 가해주면 그 움직임이 멈추게 된다. 이것이 정확한 스틸포인트이다. 이러한 스틸포인트는 골격을 통해 신체 어디에서나 유도할 수 있다. 물론 골격을 통한 두개천골리듬을 읽을 수 있어야 한다. 보통 짝으로 된 뼈를 활용하는 것이 쉽고 시소원리에 의해 다리를 잡고 스틸포인트를 유도하는 것이 가장 쉽다.

굴곡이나 신전 상태에서 중간 단계인 중립위치로 돌아가려고 하면서 멈춰버린 두개천골계의 활동이 바로 컴퓨터를 끄는 것과 동일하다. 이러한 스틸포인트는 몇 번 반복해도 전혀 문제가 없다. 물론 동맥류 등 혈압에 문제가 큰 사람이나 혈관에 문제가 있는 경우에는 지속적으로 하지 않는 것이 바람직하다.

스틸포인트를 정확하게 이해하기 위해서는 서덜랜드가 정의한 지렛점fulcrum 또는 지점에 대한 이해가 수반되어야 한다. 상호긴장막이 형성되고 작용하는 지점이 바로 '서덜랜드의 지점Sutherland's fulcrum'으로 어떤 '무게weight'를 들어 올릴 수 있는 정확한 지점이다. 그렇기에 뇌척수액의 지점도 정의할 수 있는데 이는 뇌척수액의 파동이 멈추는 '순간'이고 '지점'이다. '순간'이고 '지점'이라고 표현되는 것은 영단어인 point에 두 가지 뜻이 내포 되어 있기 때문이다. 스틸을 형성하는 지점도 'point'이고 스틸이 되는 순간도 'point'이기 때문이다. 서덜랜드는 스틸포인트를 설명할 때 이 두 가지 의미를 다 사용하였다. 즉, 뇌척수액의 파동이 멈추는 것도 스틸포인트이고 자연적이든 유도되었든 상관없이 스틸포인트를 유발한 곳이 또한 스틸포인트이다. 당연히 두개천골의 움직임도 이 순간에는 멈춘다.

이러한 스틸포인트는 치유사나 교육기관에 따라 이견은 있지만 보통 몇 초에서 길게는 몇 분까지 지속될 수 있다고 본다. 스틸포인트는 자연적으로 일어나기도 하고 유도 될 수도 있으며 부분적으로 일어날 수도 있고 전체적으로 일어날 수도 있다. 또한, 즉각적으로 일어날 수도 있고 서서히 일어날 수도 있다. 주의할 것은 너무 오래 스틸포인트를 유도하여 형성하는 것이다.

이것은 피시술자에게 힘들뿐 아니라 시술자도 돌아가려는 에너지의 축적된 압력을 이기기 위해 저항하는 것도 힘이 든다. 그렇기에 이러한 압력이 지속되면 스틸포인트를 해제하는 것이 바람직하고 오히려 몇 번 더 짧은 스틸포인트를 유도하는 것이 바람직하다. 가끔 시술자들이 무리하게 스틸포인트를 유도하여 오래 잡고 있는 경우가 있는데 위에 언급된 이유로 바람직하지 않다는 것을 인지해야 한다.

한편 스틸포인트에서 나오지 않는 경우, 즉 에너지의 축적이 있지만 압력이 없어 중립상태를 벗어나지 못하고 있는 경우라면 유도 방식을 통해 첫 움직임을 만들어 주는 것이 필요하나. 이를 통해 관성에 의해 다음 움직임이 자연스럽게 유도 되고 두개천골계는 다시 근원적인 호흡을 다시 시작할 수 있게 된다.

스틸포인트가 발생할 경우 환자는 존재하고 있었지만 증상이 없어 몰랐던 문제점이 있는 부위에서 통증을 호소할 수 있으며 스틸포인트로 인해 특별 부위에 통증 및 이상 증상이 발생할 수 있다. 주로 큰 호흡 뒤 이완된 상태의 호흡으로 호흡패턴이 바뀌고 땀을 흘리는 경우도 있다. 스틸포인트에 본격적으로 들어가게 되면 통증은 사라지고 근육 또한 이완하게 되어 편안한 상태로 잠이 드는 경우도 있다.

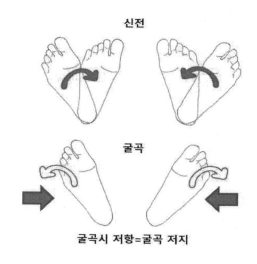

[그림 4-21] 다리에서 스틸포인트 잡기

스틸포인트에서 들어가게 되면 우선은 관찰만 하여야 한다. 절대로 압력을 증가시키나 다른 움직임을 유발시키지 말아야 한다. 자연스럽게 스틸포인트에서 나오게끔 하는 것이 가장 바람직한 방법이고 움직임이 완전히 고정된 듯한 경우 유도방식을 사용하여 스틸포인트에서 나오게 한다. 언급되었듯이 스틸포인트는 어느 한 움직임에서 다른 움직임으로 전환하려는 그 시점에 저항을 가하는 것이다. 발의 경우 신전인 내회전에서 외회전의 굴곡상태로 가는 것을 어제부로 저항을 가하는 것이 반대로 외회전에서 내회전으로 오는 것에 대한 저항을 손가락으로 만드는 것보다 쉽다.

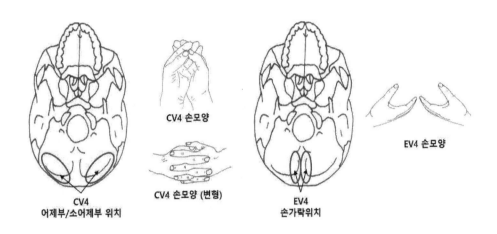

[그림 4-22] CV4 vs. EV4의 손 위치 및 모양

하나의 뼈로 된 천골이나 후두골을 통해 스틸포인트를 유발시키기 위해서도 마찬가지 방법을 사용한다. 굴곡으로 간 움직임이 변하여 신전으로 가려할 때 저항을 유발시키면 된다(CV4). 물론 반대로 할 수도 있다(EV4). 후두골의 경우 신전으로 간 후두골에 저항을 가하는 것이 더욱 쉽지만 반대로 행하여야 하는 경우가 생길 수 있기 때문에 필히 두 가지 방법을 익혀야 한다. 천골의 경우에는 신전이나 굴곡단계에 크게 상관없이 진행하여도 된다.

CV4와 EV4

두개골에서 직접적으로 스틸포인트를 유도하는 방법으로 CV4compression of the fourth ventricle와 EV4expansion of the fourth ventricle가 있다. 둘 나 유체기법fluid technique 또는 파동기법fluctuation Technique이라고 할 수 있다. 이는 종축으로 CSF뇌척수액-cerebrospinal fluid의 움직임에 영향을 미치는 기법으로 둘 다 호흡과 심혈관 순환계에 영향을 미치는 중심부인 제4뇌실 부위와 직접적인 관계가 있다. 굳이 차이점을 들자면 두 방식의 손의 위치와 스틸포인트를 유도하는 방식, 그리고 다른 큰 차이점을 들자면 EV4는 피시술자가 시술 후 좀 더 기민한 상태인데 반해, 물론 깊은 이완의 연속선상에 있어서 나타나기는 하지만, CV4의 경우 피시술자는 피곤함을 더 느낀다는 것이다. 그렇지만 공통적으로 두 기법 모두 시술 후 피시술자의 호흡안정과 심신의 안정 및 이완을 가져온다.

현재 두개천골기법사들에게는 EV4에 비해 CV4가 더 많이 알려져 있다. 서덜랜드에 의하면 CV4는 자율신경계와 뇌척수액의 파동에 영향을 줄 뿐 아니라 척추전반에 걸쳐 이완효과를 가져올 수 있다고 하고 마군Magoun Harold, DO은 CV4를 통해 맥박과 호흡이 규칙적으로 안정화되는 효과와 피부상 수분의 감소가 이뤄진다고 증거하고 있다. 도브Dovesmith Edith, DO는 후두골의 신전에 의해 일어나는 종축상의 파동은 교감신경계에 영향을 미치고 굴곡 시 일어나는 파동 및 좌우로 퍼져나가는 파동은 부교감신경계에 영향을 미친다고 하였다.

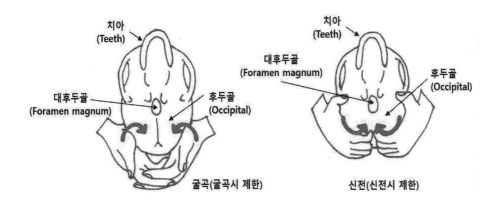

[그림 4-23] CV4 및 EV4 기법

두개골에서 스틸포인트는 CV4나 EV4 기법을 사용하여 후두골에서 이루어진다. CV4는 굴곡으로 후두골이 진행되는 것을 막는 것이고 EV4는 신전으로 진행되는 것을 막는 것이다. 즉 두개천골리듬 CRI: Cranial Rhythmic Impulse의 굴곡 및 신전 시 파동의 연속성을 끊는 것이다. 해부학적으로 천막tentorium과 후두골의 연결로 인해 경막시스템의 긴장성의 변화가 생기고 이로 인해 두개골 내 유체역학과 압의 변화가 생기게 된다. 당연히 이렇게 발생한 압과 긴장성 및 흐름은 주변에 생리학적 영향을 미치고 자극을 가하게 된다. 부교감신경에 자극이 발생하여 수액발생 양이 증가하여 사그라져가는 파동을 다시 강화시켜 생산과 흡수 순환 프로세스를 활성화시킨다.

보통 업플레져 스타일의 두개천골을 바이오메카닉스biomechanics계열로 보는데 이는 정골의학 자체를 이해 못해서 생기는 오해이다. 업플레져 스타일의 CST 또한 정골의학에서 나왔기 때문에 단순 신체역학에 머무르는 것이 아니라 유체역학fluid dynamic 또는 바이오다이나믹스biodynamics에 바탕을 둔다고 하여야 한다. 바이오다이나믹스와 바이오메카닉스의 차이점을 굳이 설명하자면 바이오메카닉스는 바이오다이나믹스에 비해 조금 더 기계적인 느낌을 가질 뿐이다. 서덜랜드는 1936년부터 1948년까지 기계적인 제한점을 해제하고자 하는 기본 개념을 강조하였는데 이 개념이 후에 바이오메카닉스라고 정의되었다. 서덜랜드는 1948년 이후로 더 근원적인 개념인 CSF의 파동적인 제한을 해제하고자 하였는데 이러한 개념을 바이오다이나믹스라고 한다. 바이오다이나믹스라는 개념은 젤러스James Jealous, DO때부터 본격적으로 정의되고 전파되기 시작하였다. 초반의 개념은 분당 8~14회의 CRI에 중점을 두었으나 후반에는 좀 더 깊고 근원적인 분당 2~3회의 파동을 기본으로 보았다는 차이점이 어찌 보면 가장 크다. 업플레져는 이러한 근원적인 파동을 long tide로 정의하고 근원적인 움직임에도 중점을 두었기에 일부 학파에서 주장하는 것처럼 굳이 두개천골기법을 바이오메카닉스와 바이오다이나믹스로 구분할 필요는 없다. 어차피 기법에 차이는 있을 수 있으나 추구하는 바가 같이 때문이다.

발생학적으로 형성시기 배아판embryonic plate의 중심부에서부터 영향을 미치는 것이 EV4이고 CV4는 그 발생학적 형성시기 배아판으로 몰고 가는 영향이 있다. 발생학적으로 형성시기 배아판은 우주의 빅뱅과 같이 모든 신체의 전기적인 프로세스의 기원이고 그 발생학적 프로세스를 인지하고 있기 때문이다.

CV4 및 EV4의 경우 자율신경계를 조절하고 호르몬, 화학적, 근육적인 균형을 맞추는 역학을 하며 림프, 혈액순환을 좋게 하고 면역력을 높이는 반면 염증 및 감염에 의한 열을 낮추는 역할을 돕는다. 뿐만 아니라 과 긴장된 근육을 이완시키며 고혈압을 낮추고 빈맥에 효과적이다. 반면에 동맥류, 급성두부외상, 심장마비 등에는 사용하지 않는 것이 바람직하다.

기본 기법

두개천골기법에 많이 사용되는 기본 기법에는 리프트lift, 가압·감압compression·decompression과 잡아당기기·밀기pull·push의 3가지 기법이 있다. (그 외의 기법으로는 캔트후크, 펌핑, 몰딩 등이 있다) 여기서는 안면골과 두개골의 사골을 제외한 기본 두개골(접형골, 두정골, 전두골, 후두골, 측두골)을 다루기로 한다. 물론 기법마다 크게 차이가 있지 않을 수 있다. 특히 리프트와 잡아당기기 감압 등은 시술자에 따라 비슷하게 여겨지고 구분 없이 사용될 수 있다. 모두 뼈를 다른 뼈에서, 정확히 말하자면 봉합선에서의 자유로움을 만드는 기법이다. 하지만 기법을 굳이 나누는 이유는 두개천골기법을 배우는 이들의 편이를 위해서이다. 마치 태극권의 투로 또는 태권도의 품새를 익히는 것이라고 생각하면 무방할 것이다.

리프트

기본적인 두개천골기법에서 사용되는 가장 기본적인 기법인 리프트는 말 그대로 들어 올리는 것이다. 보통 전두골과 두정골에서 사용된다. 뼈와 뼈 사이 즉 봉합의 미세한 분리를 하는 방법 중 전두골에 가장 사용하기 좋은 방법이다. 전두골의 경우 누워있는 피시술자의 이마(전두골)를 분리하여 전방으로 가져가는 것이다. 이를 위해 두개골의 해부학적 위치를 정확하게 알고 있어야 한다. 뼈를 분리하기 위해서는 그 위치를 정확히 알고 접촉을 해야 하기 때문이다. 그렇지 않으며 필요 없는 뼈를 잡고 의도하지 않은 움직임을 유발할 수 있다. 가끔 두개천골기법을 한 후 두통이 심한 경우가 있을 수 있는데 이는 신체에 근골격계와 같은 다른 문제가 드러난 것이거나 리프트나 다른 기법을 사용하여 두개골 뼈의 필요 없는 움직임이나 의도하지 않은 제한을 유발한 경우, 또는 너무 오래 스틸포인트 상태가 강제로 유지된 경우이다.

전두골의 경우 [그림 4-24]와 같이 누워있는 자세인 앙아위supine에서 천정 방향으로 양손의 엄지를 제외한 네 손가락 또는 가운데

세 손가락을 잡고 들어 올리는 의념을 가지면 된다. 전두골에 접촉한 손가락들이 정중선으로 모여 천정으로 가는 느낌을 가지면 된다.

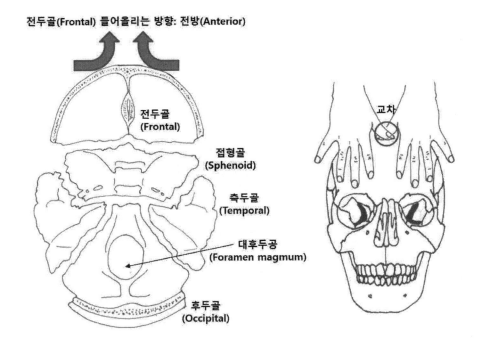

[그림 4-24] 전두골 리프트

이 경우에 시술자의 근육이 반응하여 육안으로 보기 힘든 움직임을 형성한다. 우리가 하는 모든 시술에서 기억해야 할 것은 바로 방향성이다. 방향성이 주어지면 시술자의 근육은 그 방향으로 반응한다. 그렇기에 의념과 방향성을 형성하는 순간 근육의 반응으로 우리가 의도하는 움직임이 적은 힘으로도 나타나게 된다.

다른 방법으로는 [그림 4-25]와 같이 손을 깍지 껴서 어제부와 소어제부를 사용하여 들어 올리면 된다. 이 경우에도 중요한 것은 들어 올린다는 의념과 방향성이다. 이 방법을 사용하는 경우 좀 더 강하게 전두골을 접촉하게 되므로 주의하여야 하고 최대한 힘을 제거하고 전두골을 가운데로 모은 다는 느낌으로 하면 된다.

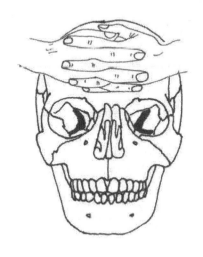

[그림 4-25] 전두골 리프트 변형

하지만 전두골의 경우 하나로 된 뼈가 두정골, 접형골 등에 연결되어 있어 뻑뻑한 느낌만 주고 움직이지 않을 수 있다. 이러한 경우 우선 관련 봉합선들을 엄지손가락으로 압력을 가해 풀어주고 난 후 깍지 낀 손의 어제부와 소어제부를 사용하여 전두골을 내측으로 모은 뒤 후 후방으로 눌러 주듯이 압을 가한 후 다시 리프트를 시도한다.

두정골은 피시술자의 정수리 방향(상방)으로 즉 피시술자가 앙와위일 때 시술자의 몸통으로 양손을 사용하여 두정골을 살며시 잡고 의념으로 잡아당긴다는 느낌을 가지면 된다. 시술자의 의념은 몸에 작용하여 시술자가 잡고 있는 손 근육과 등 근육 등을 자극하여 보이지 않게 두정골을 잡아당기게 된다. 두정골도 리프트를 하는데 전두골과 마찬가지로 두정골을 잡고 있는 봉합선으로부터 자유롭게 하기 위함이다. 하지만 측두골에서 분리를 시켜야 하는 어려움이 있다. 이는 측두근이 두정골까지 연결되어 있기 때문이다. 이를 위해 측두근에 먼저 근막이완기법을 사용할 수 있다. 손의 위치만 다를 뿐 방법은 두정골 리프트와 마찬가지이다.

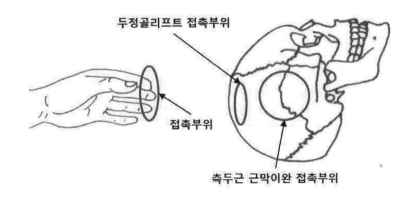

[그림 4-26] 두정골 리프트와 측두근 근막이완에서의 손의 위치

두정골 리프트는 상방superior으로 [그림 4-26]과 같이 리프트를 시행하면 된다. 측두근의 이완 후에도 두정골 리프트가 잘 안 되는 경우에는 가압을 하여 두정골을 측두골 안쪽으로 밀어 넣듯이 먼저 두정골의 가동성을 확보하고 난 후 작업하면 한결 수월하다. 이는 손의 위치를 변화시키지 않고 팔꿈치의 각도를 벌려 V자로 한 후

머리중앙으로 압을 가하는 것이다. 천천히 미세하게 압을 가하여 가동성을 확보하는 것이 중요하다.

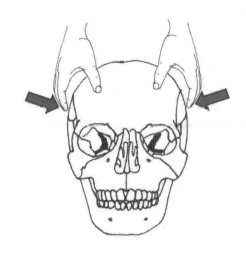

[그림 4-27] 두정골 가압

가압·감압

가압은 말 그대로 압력을 가하는 것이고 감압은 압력을 해소하는 것이다. 수기요법에서 압력이라는 것은 힘을 가한다는 것과 일맥상통한다. 하지만 두개천골계에 적용되는 압력은 아주 작은 힘이다. 의념으로 압력만 가하는 것이 가장 바람직하다. 의념을 사용하라는 것은 그래야만 가장 작은 물리적인 힘이 가해지기 때문이다. 즉 의념을 사용한다고 해서 염력이나 기와 같은 힘을 사용하는 것이 아니고 '의념'이라는 단어를 통한 최소한의 힘을 사용하기 위함이다.

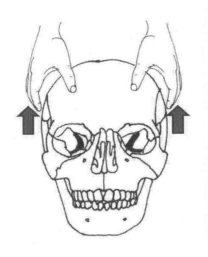

[그림 4-28] 두정골 감압(리프트)

　두정골은 두개골의 중앙부위에 양측으로 있는 골로 후두골, 측두골 및 전두골 그리고 접형골과 접해 있다. 봉합에 제한이 있는 경우 리프트가 힘들다. 접형골도 많은 골과 직접적으로 연결되어 있어 제한이 있는 경우 리프트가 힘들다. 하악골의 경우 구조상 리프트 방식을 사용할 수 있지만 가압·감압방식이 더 타당하다.

　다시금 인기를 끌고 있다는 한 때 찾아보기 힘들었던 미닫이문을 예로 들어보자. 문이 수축과 팽창을 반복하다 보면 틀에 꽉 끼어 제대로 움직이기 힘들다. 열려있는 것을 닫으려 하는데 닫히지 않는 경우 오히려 열리는 방향으로 한 번 밀어 준 다음 다시 닫는 방향으로 힘을 가하면 오히려 제한을 가하고 있었던 부위를 쉽게 넘어서 문을 닫을 수 있다. 옷이나 가방에서 흔히 보는 지퍼의 경우도 마찬가지 작업이 가능하다. 안 닫히는 것을 열린 방향으로 풀어준 뒤 다시 올리면 쉽게 닫혀 지는 경우를 경험했을 것이다.

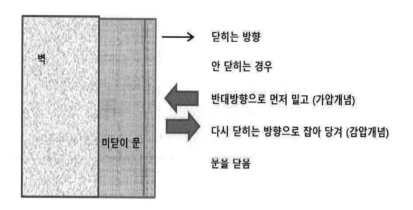

[그림 4-29] 미닫이 문 닫기

가압과 감압도 마찬가지이다. 리프트와 같은 개념인 감압의 경우 분리를 시켜야 되는데 잘 안되기 때문에 가압을 먼저 행하는 경우이다. 그냥 리프트를 시도했을 때 리프트가 잘 안 된다면 압을 가해 제한 부위의 수축성을 느슨하게 한 후 다시 리프트 즉 여기서는 압력을 가하는 것의 반대인 감압을 하게 되는 것이다.

이미 언급되었듯이 두정골이나 전두골의 경우 리프트가 잘 안 되는 경우 가압을 먼저 행하는 것이 바람직하다. 접형골 그리고 하악골의 경우 가압·감압 방식이 더 움직임을 수월하게 만들어 준다. 접형골은 가압을 할 경우 후두골을 향해 가압을 해주어야 한다. 즉 접형후두연접부의 분리를 위한 것이기에 접형후두연접부에 압을 가하는 것으로 엄지손가락으로 접형골의 대익을 접촉하고 나머지 손가락은 후두골을 접촉하여 엄지손가락을 후두골 쪽으로 당겨오는 것으로 후두골에 접촉하고 있는 손으로 그 느낌을 감지할 수 있다.

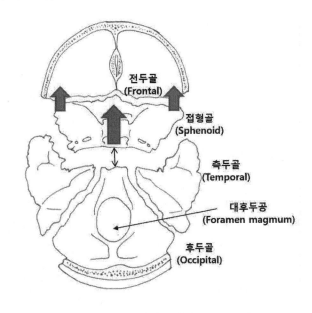

[그림 4-30] 접형골과 후두골 분리

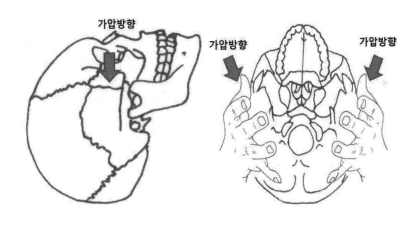

[그림 4-31] 접형골 가압

접형골 감압은 네 손가락으로 후두골을 고정시키듯 하고 엄지손
가락으로 접형골의 대익을 접형후두연접부가 형성하는 면에서 약간

비스듬하게 전방으로 들어 올리면 된다. 접형골 가압시 [그림 4-30]에 표현된 것 같이 접형골을 후두골로부터 분리시킨다는 느낌으로 전상방Anterior-Superior 으로 들어올린다. 물론 목으로 인해 두개골의 위치가 바뀔 수 있지만 상방보다는 전방느낌이 강하다.

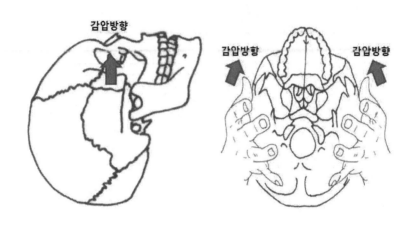

[그림 4-32] 접형골 감압

하악의 경우 많은 근육이 하악을 고정시키고 있기에 준비 작업이 절대적으로 필요하다. 횡격막 풀기에서 다루겠지만 턱의 저작기능을 만들고 다양한 근육들과 설골의 풀이가 절대적이다. 해부학장에서 턱과 주변 근육들을 자세히 살펴보기 바란다. 하악은 가압을 상방의 측두골로 향하게 한다. 즉 엄지를 제외한 네 손가락으로 상방으로 압을 서서히 가하고 더 이상 하악이 갈 곳이 없으면 하방으로 밀고 내려가면서 감압을 시행한다. 감압의 마지막 작업으로 비행기가 활주로에서 이륙하듯이 15도 상방으로 비스듬하게 손목을 돌려 들어주면서 하악을 자유롭게 해주면 된다.

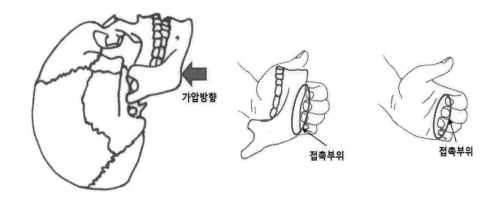

[그림 4-33] 하악 가압

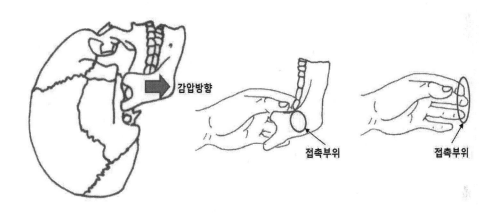

[그림 4-34] 하악 감압

잡아당기기·밀기

어떤 것을 잡고 당기려면 정확하게 잡을 수 있는 손잡이가 필요
하다. 정골의학 방식의 교정법 중 가장 우선되는 원리 중 하나인 제

한해제disengage의 경우 잡아당기고 미는 방식을 많이 취한다. 주변조직의 원활한 움직임을 위해서이다. 두개골에서는 측두골에서 이 방식을 취한다. 측두골의 경우 봉합에서 자유롭게 하기 위해 밀고 잡아당기기를 시행한다. 하지만 엄밀히 따지면 측두골의 분리를 통해 소뇌천막tentorium cerebelli을 자유롭게 하기 위한 것으로 다음 장에서 다룰 횡격막 풀기의 연속선상이다.

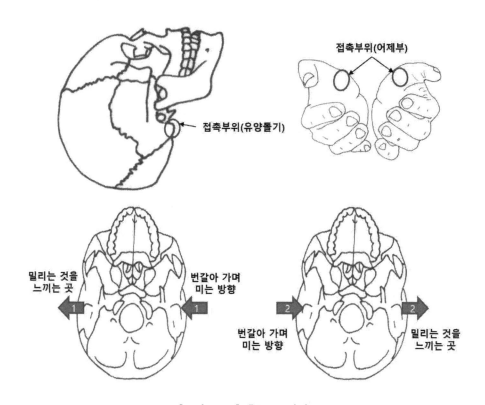

[그림 4-35] 측두골 밀기

측두골의 경우 귀를 잡고 양 외측으로 살며시 잡아당기는 것이다. 물론 의념으로만 하면 되고 나머지는 시술자의 자세에서 자연스럽게 이루어진다. 측두골이 잘 따라오지 않는 경우에는 양쪽 유양돌기를 잡고 한 쪽씩 압력을 가해서 반대방향으로 밀어주어 측두골의 움직임을 크게 만들고 유착되어 있는 것을 풀어준 뒤 잡아당기기를 다시 시도한다.

측두골 잡아당기기를 할 경우 귀를 손잡이로 사용하게 되는데 절대적으로 시술자가 주의해야 할 것은 귀만 잡고 의념으로 잡아당기는 것이다. 즉 귀를 통해 측두골을 잡고 그 측두골에 연결된 소뇌천막을 잡아당기는 것이기에 그 느낌을 찾아야만 한다. 방향은 소뇌천막이 형성된 것과 같이 외측, 후방에서 비스듬하게 하방의 벡터 vector 방향으로 진행하여야 한다. 즉 시술자의 후방 어깨 관절 방향으로 잡아당기기를 시행하는 것이다.

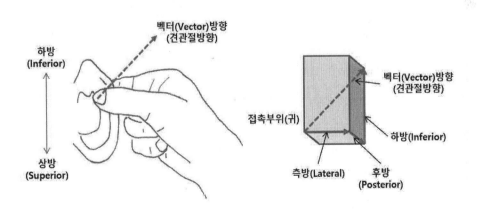

[그림 4-36] 귀 잡아 당겨 측두골(소뇌천막) 풀기

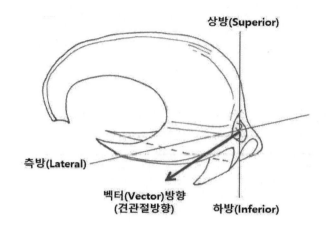

상방(Superior)

측방(Lateral)

벡터(Vector)방향
(견관절방향)

하방(Inferior)

[그림4-37] 소뇌천막 형성방향

횡격막풀기

횡격막은 신체에 존재하는 수평적인 근막 조직 구조물로써 횡격막 풀기는 다른 연부조직 풀기와 비슷한 양상을 띤다. 당연히 풀기에 있어서 난이도 차이는 있지만 모든 횡격막을 다 풀 수 있다.

횡격막을 풀 경우 나타나는 현상에서 가장 큰 것은 호흡의 변화와 주변 근육 및 조직의 이완 그리고 접촉하고 있는 손의 활공 또는 미끄러짐이 있다. 여기서는 수평근막에서 언급되었던 8개의 근막에 대한 실질적인 풀기를 익히도록 한다.

족저근막

직립인 경우 가장 많은 무게를 지탱하고 있는 발바닥인 족저근막plantar fascia에서 시작한다. 환자를 앙와위로 눕게 하고 시술자는 양 엄지손가락을 교차하여 X자로 만들어 지복을 사용하여 족저근막을 접촉한다. 엄지손가락이 X자 방향으로 가도록 의념을 사용하고 방향성을 준다. 다른 손가락들로는 발을 감싸 잡고 처음에는 발을 바르게 세워 근막 작업을 한다. 방향을 제대로 잡고 가볍게 누르고 있으면 미끄러지면서 근막이 이완 되는 느낌이 나는데 이때 접촉을 멈추면 된다. 손을 움직이지 않고 피시술자로 하여금 천천히 발을 족저굴곡과 배측굴곡을 반복하게 할 수도 있지만 이것보다 시간이 좀 걸리더라도 손을 가만히 대고 방향성을 유지한대로 근막이 스스로 풀릴 때를 기다리는 것이 바람직하다.

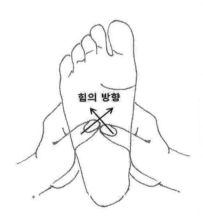

[그림 4-38] 족저근막풀기

슬와근막

슬와근막popliteal fascia은 무릎의 횡격막이라고 할 수 있다. 환자를 앙와위로 놓고 양손의 엄지를 제외한 네 손가락으로 V자를 만들어 무릎관절 바로 뒤에 접촉한다. 어제부는 접촉을 하지 않고 피시술자의 무게를 활용한다. 지복으로 아주 미세한 압을 가하여 발쪽으로 잡아당기듯이 방향성을 준다. 근막이 이완되면 손이 발쪽으로 미끄러지는 느낌이 난다. 이후 반월판까지 같은 방법으로 접촉을 한 뒤 반월판을 촉진하여 돌출된 반월판이 있는 경우 정상위치로 돌아갈 때까지 기다린다. 하지정맥류나 하지불안정증후군의 경우 탁월한 치유방법이다.

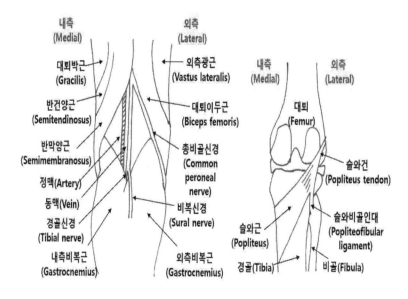

A) 우측 슬와(Right popliteal fossa) 후면

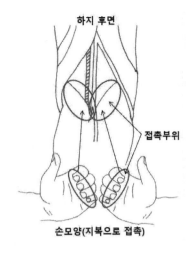

하지 후면

접촉부위

손모양(지복으로 접촉)

B) 슬와근 접촉위치

[그림 4-39] 슬와근막풀기

골반횡격막

골반횡격막의 경우 피시술자를 앙아위로 놓고 옆에서 한 손을 펴서 천골 2번s2을 가로질러 수평으로 놓고 다른 손으로 치골 위에서 엄지가 머리를 향하도록 손을 펴서 천골전근막presacral fascia에 접촉한다. 두 손이 서로 닿는다는 느낌으로 지그시 위의 손으로 0g에서 5g까지의 압력을 서서히 가한다.

이완이 되면서 위의 손이 미끄러지는 느낌이 나거나 열감을 느낀다. 골반횡격막을 좀 더 자유롭게 하기 위해서 천장관절을 이완시켜 주는 것도 하나의 방법이다. 손을 교차하여 T자로 만들어 한 손은 천골을 완전히 덮게 하고 한 손은 그 손과 수직으로 그 손 밑에서 천골 2번을 가로지르도록 수평으로 놓는다.

천골의 움직임이 무한대를 자유롭게 그리도록 균형을 잡거나 굴곡과 신전의 균형을 잡아주어도 된다. 이는 천골을 장골로부터 자유롭게 하는 것으로 다른 방법으로는 한 손으로 천골을 사타구니 사이에서 잡고 장골의 전상장골극ASIS: Anterior Superior Iliac Spine을 다른 손 팔꿈치와 손가락으로 가운데로 모으듯이 가볍게 잡고 있으면서 천골을 하방으로 끌어당기면 된다.

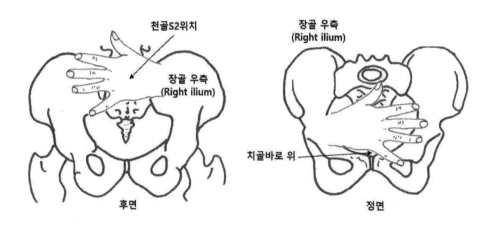

[그림 4-40] 골반횡격막풀기

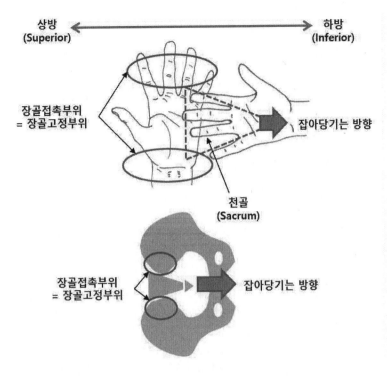

상방
(Superior)

하방
(Inferior)

장골접촉부위
= 장골고정부위

잡아당기는 방향

천골
(Sacrum)

장골접촉부위
= 장골고정부위

잡아당기는 방향

[그림 4-41] 천장관절풀기: 천골분리

호흡횡격막

호흡횡격막의 경우 피시술자를 앙와위로 놓고 한 손은 흉추 12 번과 요추 1~3번까지에 수평으로 놓고 다른 손으로 검상돌기를 기준으로 하여 늑골연과 상복부를 감싸도록 한다. 물론 다 감쌀 수 없을 수 없지만 대략적으로 감싼다는 느낌으로 접촉을 한다. 접촉한 양 손이 골반횡격막을 풀 때처럼 서로 닿는 느낌으로 압력을 가하되 될 수 있으면 아래 손은 움직이지 말아야 한다. 즉 위의 손으로 지그시 누르되 피시술자가 느끼지 못할 정도로 0g에서 5g으로 서서히 압을 가해야 한다. 두 손 사이에서 움직임이 느껴지면 그 방향을 따라 같이 움직여 주면 된다. 호흡횡격막은 식도, 대동맥, 대정맥, 림프 및 신경이 직접 통과하기 때문에 횡격막에 문제가 생기는 경우 혈액 순환, 소화 장애, 호흡곤란 등 많은 부수적인 문제를 일으킨다. 또한 호흡횡격막은 횡격막 중에서 가장 운동성이 크고 제한을 크게 가져올 수 있는 수평근막이기 때문에 확실히 풀어주어야 한다.

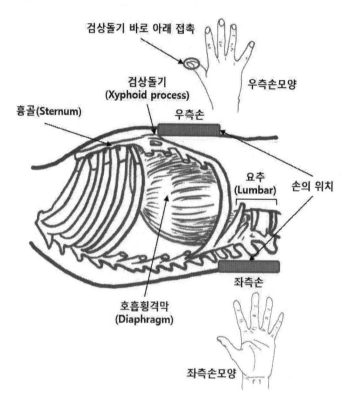

[그림 4-42] 호흡횡격막풀기

흉곽출입구

흉곽출입구thoracic inlet/outlet는 상지로 가는 모든 신경과 혈관이 지나가는 곳이라고 보아도 무관하다. 그만큼 중요한 부위이기 때문에 이곳의 제한은 많은 문제를 가져올 수 있다. 흉곽출입구를 풀기 위해 우선 전경근막anterior cervical fascia과 전사각근을 필히 풀어야 한다. 내측 쇄골 위쪽으로 양쪽 엄지손가락의 지복을 사용하여 접촉을 한다. 지복을 발쪽으로 지그시 밀고 외측으로 쇄골을 따라 잡아당긴다. 팔을 활용하여 방향성을 주도록 한다. 다시 말해 팔꿈치를 활용하여 방향성을 만들어 주면 자연스럽게 이완되는 현상이 나타난다. 이렇게 한 다음 [그림 4-43]과 같이 한 손을 수평으로 하여 경추 7번과 흉추 1번을 가로지르게 놓고 다른 손으로 쇄골과 흉골병이 만나는 부위에 대고 위의 손으로 지그시 압을 가하도록 한다. 움직임이 발생하면 그 움직임을 따라가서 이완을 확실히 시키도록 한다. 다른 방법으로는 머리 쪽에 앉아 쇄골 위에 손을 접촉하고 외측으로 약간의 방향성만 주고 기다리면 된다. 승모근과 견갑거근 등 상부흉추 부위의 근육과 근막이완을 통해 효과를 좀 더 높일 수 있다. 이를 위해 앙와위에서 양손의 어제부와 소어제부를 피시술자의 견갑에 접촉하고 손가락으로 능형근을 가로지르듯이 잡아 방향성을 어깨 쪽으로 주어 근막이완을 시행한다. 두통 및 상부흉추와 경부의 통증을 완화시키기 위한 전초작업이며 능형근 등 견갑을 잡고 있는 근육을 풀어주어 호흡을 원활하게 할 수 있게 해주는 임상적으로 아주 뛰어난 기법이다.

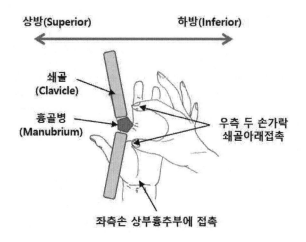

[그림 4-43] 흉곽출입구풀기

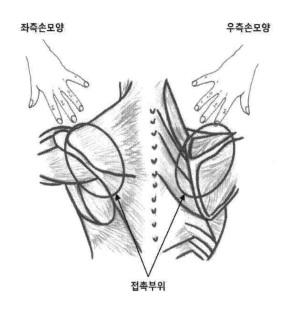

[그림 4-44] 상부흉추부 근막이완

입바닥

시술자는 피시술자의 머리 쪽에서 양손으로 하악 안쪽에 엄지를 제외한 네 손가락을 지그시 접촉시킨다. 이후 머리 방향으로 몸을 활용하여 지그시 압을 가하여 입바닥을 이완시키도록 한다. 턱관절을 이완시키는 것이 아니기에 턱을 잡는 것이 아니고 입바닥에 지복으로 접촉을 하는 것이다. 다른 방법으로 한 손을 후두와 경추를 가로지르게 놓고 다른 손의 집게와 엄지손가락을 사용하여 설골을 잡고 관련된 근막을 풀어주면 된다. 설골을 잡는다는 것은 설골을 실질적으로 접촉한다는 것보다는 근막을 통한 설골 접촉 느낌을 갖는다는 것이다. 설골을 잡았다면 좌우로 살며시 움직여 보아서 잘 가는 쪽으로 움직임을 만들어 따라가서 이완되었을 때 놓아주면 된다. 강하게 밀고 나가는 것이 절대 아니다. 주의 하여야 한다.

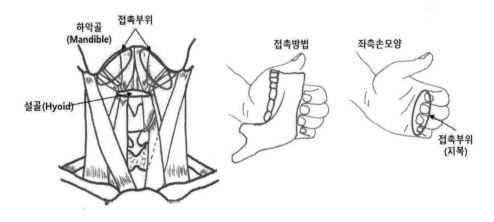

[그림 4-45] 입바닥 풀기

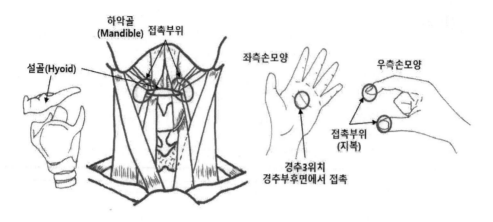

[그림 4-46] 설골부위 풀기

소뇌천막

　소뇌천막은 대뇌와 소뇌를 나누는 수평막이다. 편하게 누워 있는 상태에서 후두골에 양손을 다소곳이 모아 받친 후 후두골의 굴곡과 신전을 따라 움직여서 굴곡과 신전의 균형을 잡게 한다. 그 후 측두골 풀기방법을 사용하여 소뇌천막의 이완을 완성한다.

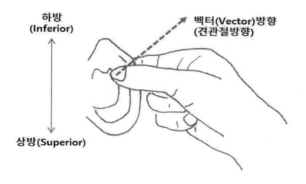

[그림 4-47] 소뇌천막풀기(귀잡아당기기=측두골풀기)

안격막

　뇌하수체를 덮고 있는 안격막diaphragm sellae은 소뇌천막의 연장선상에 있다. 이를 풀기 위해서는 기본적으로 소뇌천막 풀기를 시행하여야 한다. 내분비계를 관장하는 곳이기에 주의해서 접근한다.

　소뇌천막 풀기 후 접형골 풀기를 통해 접형골의 위치를 바로 잡아 안격막을 풀어줄 수 있다. [그림 4-48]과 같이 접형골을 살며시 한쪽 방향에서 힘을 가해 밀어서 접형골의 움직임을 더 높일 수 있다.

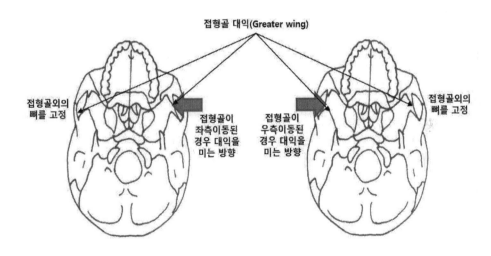

[그림 4-48] 접형골 풀기

턱관절

턱관절은 머리에서 가장 가까운 디스크를 가지고 있는 관절이다. 턱관절의 작용에 의해 치아의 교합과 저작근의 움직임에 영향을 받는다. 반대로 저작근의 수축과 제한은 턱관절에 영향을 미친다. 턱관절은 리프트나 가압·감압 방식을 사용하여 이완을 촉진하여야 한다. 하지만 그에 앞서 주변 근육 및 근막을 이완하여야 한다.

턱관절 검사

턱관절은 많은 근육과 디스크로 구성되어 있다. 턱관절의 장애로 인해 오는 문제는 두통에서부터 측만 등 다양하다. 우선 턱의 가동 범위를 확인해야 한다. 입을 벌려 세 손가락이 들어갈 수 있으면 우선 상하 가동에 있어서는 문제가 없다.

또한 치아 교합상태를 통해 턱관절의 이상 유무를 확인할 수 있다. 치아 교합은 앞니와 아랫니의 정중앙을 보는 것이 아니라 상하 구순대superior·inferior labial frenulum의 교합으로 판단하는 것이 정확하다.

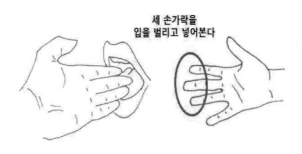

세 손가락을
입을 벌리고 넣어본다

[그림 4-49] 턱관절 검사

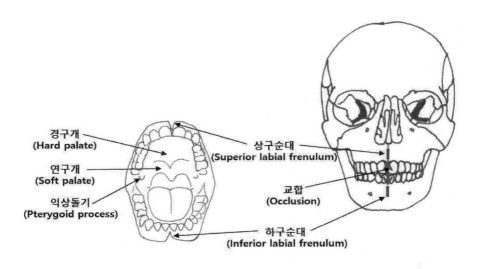

경구개
(Hard palate)

연구개
(Soft palate)

익상돌기
(Pterygoid process)

상구순대
(Superior labial frenulum)

교합
(Occlusion)

하구순대
(Inferior labial frenulum)

[그림 4-50] 교합

턱관절 주변 근육

턱관절에 이상이 있으면 제대로 된 영양을 섭취할 수 없다. 턱은 영양을 공급하는데 있어 1차적인 작업을 하는 중요한 곳이다. 또한 턱은 입바닥을 형성하고 있기에 많은 근육들이 부착되어 있는 곳이기 때문에 주의가 필요하고 정확한 구조를 알아야 한다. 관련 근육 및 구조는 제3장을 참조하기 바란다.

턱관절 자가 이완 방법

자가 이완요법이 가장 잘되는 곳 중 하나가 턱관절로 다음과 같이 이완할 수 있다. 똑 바로 앉아 교근 위에 네 손가락을 미끄러지듯이 상방에서 하방으로 걸고 턱에 힘을 빼고 풀릴 때까지 가만히 있으면 된다.

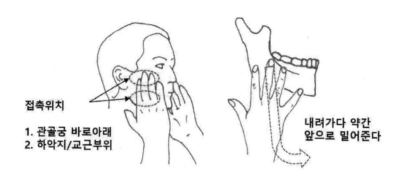

[그림 4-51] 턱관절 자가 이완

긴장성 두통에 효과적이며 상부흉추와 경추 부위를 풀 때 필히 해주어야 한다. 턱관절 풀기는 기본 풀이법에 나온 것과 같이 가압·감압식 풀기를 통해 풀어주어야 한다. 하지만 그 전에 입바닥횡격막 풀기와 설골 풀기 그리고 측두근 풀기를 사용해주는 것이 아주 효과적이다.

의념사용 및 자세의 중요성

더 나아가기 전에 필히 한 번 더 짚고 넘어가야 할 것이 의념이다. 의념이란 생각이라고 표현하면 이해하기 쉬울 것이다. 힘을 주는데 힘을 주지 말라는 것이 무엇인가? 접촉은 하는데 힘을 사용하지 말라는 것은 무엇이며 이 힘이란 것이 무엇인가? 우선 무술의 경우를 생각해 보자. 주로 손이나 발로 가격을 한다. 그냥 허공에 스윙하는 것은 무의미하다. 무엇을 가격할 때 목표가 있어야 한다. 그 목표를 정확히 가격하기 위해서 안내를 하는 것은 손목과 무릎이다. 손목이 가리키고 있는 방향으로 손이 나갈 수밖에 없다. 발로 가격을 가할 때도 마찬가지이다. 무릎이 먼저 가격할 곳을 가리키고 발이 나가게 된다. 이와 같이 목표를 정확히 해야 한다. 그저 손만 가지고 하는 것이 아니라 신체 전체가 같이 움직이고 치유에 참여하는 것이다. 의념이 정확해야 한다. 또한 언급되었듯이 의념을 사용하면 최소한의 물리적인 힘을 사용할 수 있다. 그렇지 않은 경우 힘이 너무 많이 가해질 수 있다.

팔을 가슴 앞에 둥그렇게 하거나 마름모꼴을 하고 가만히 있으면 우리가 인식 못 하지만 차츰 등의 근육에 의해 팔이 뒤로 잡아당겨지게 되다 물론 어느 순간부터 인식을 하겠지만 근육이 늘어나 있기 때문에 수축이 자동으로 일어나는 현상이다. 힘을 뺐는데 힘의 작용이 있는 것이다. 이 동작에서 손으로 다리를 잡고 있다고 하면 자연스럽게 다리를 잡아당기는 현상이 일어난다.

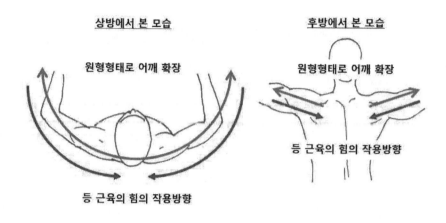

[그림 4-52] 팔의 위치와 등 근육의 작용

　마찬가지로 손을 회전시켜놓으면 회전된(꼬인) 근육의 관성과 돌아가려는 힘이 우리가 인지 못하고 있는 사이에 지속적으로 발생한다. 에너지가 축적되면서도 지속적으로 사용되고 있다. 여기서 사용되는 에너지는 근육의 회전에 의해 발생한 것이다. 마치 탄성이 높은 고무를 꼬고 있는 것과도 같은 효과가 발생한다. 근육이 작용하는 것은 이렇게 에너지를 사용하는 것이다. 아마도 우리 선인들은 이러한 에너지를 기(氣)라고 풀어냈을 듯하다. 보통 우리가 역기를 들 때를 생각해보자. 역기를 들 때 팔에서 작용하는 근육을 간단히 두 가지로 설명해보도록 하자. 하나는 굴곡근이고 하나는 신전근이다. 즉 상완이두근이 수축하며 팔을 잡아당기고 상완삼두근이 신전, 다시 말해 길항근의 역할을 하여 늘어나며 균형을 잡아준다. 하지만 우리가 힘이라고 느끼는 것은 수축하는 굴곡근에서 만 느낀다. 물론 신전근도 오래 사용하면 힘이 든다고 느껴지지만 주로 굴곡근에서 힘의 사용을 느낀다. 신전근도 같은 양만큼 일을 하는데도 불구하고 말이다.

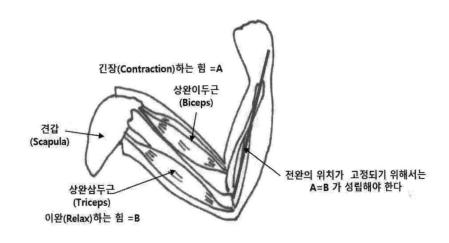

[그림 4-53] 상완이두근과 상완삼두근의 등척성(Isometric) 운동 역학

우리가 의념을 사용하게 되면 힘이 들지 않는 것 같아도 신전근의 작용에 의해 근육은 운동을 하게 된다. 신전근이기 때문에 사실 움직일 때 '힘'이 들지 않는 것처럼 느껴질 뿐이다. 굴곡근 또한 신전근이 작용하는 만큼 작용하는데 신전근의 움직임이 워낙 적기 때문에 굴곡근의 움직임도 적을 뿐이다. 즉 힘이 가해지는듯한 느낌이 별로 없거나 전혀 없다.

우리가 촉진이나 치료를 위해 가벼운 접촉만 유지하고 자세를 제대로 잡고 방향성vector만 준다면 나머지는 우리의 근육이 알아서 일을 하게 된다. 억지로 추가적인 힘을 가할 필요가 없다. 그래야만 수용체에서 더 많은 정보를 방해받지 않고 받아들일 수 있게 되고 정확한 진단과 치유가 가능하게 되는 것이다. 바른 자세는 근육의 위치를 최대의 효과를 낼 수 있는 곳으로 가져가 가장 효율적으로 사용하게 한다. 최소한의 힘을 제대로 사용하여 '힘'이 들지 않는 다는 느낌과 아주 가벼운 접촉으로 피시술자를 촉진하고 치유할 수 있기 때문이다. 자세와 의념을 통해 근육과 그 에너지를 사용하는 법을 필히 익혀야 한다.

시소원리

두개천골 움직임에 있어서 확실한 것은 신체 전체가 두개천골 움직임에 반응한다는 것이다. 두개천골의 움직임의 동기화에 상관없다. 신체 전반의 움직임은 두개골의 움직임에 기초한다. 짝으로 된 뼈, 예를 들어 다리, 팔, 견갑, 늑골, 장골 등은 두개골의 굴곡 시 외회전 하며 신전 시 내회전 한다. 하나로 된 뼈, 예를 들어 천골, 흉골, 접형골 등은 시소 움직임을 하며 두개골의 리듬에 동기화된다. 이로 볼 때 천골 또한 두개골과 동기화되어야 하는 것이 맞다.

시소 또는 지렛대의 중심에서 거리가 가까운 곳이 움직이는 거리와 거리가 먼 시소의 끝에서는 움직임이 크다. 중심과 가까운 곳을 A라고 하고 먼 곳을 B라고 할 때 B의 진폭이 A보다 큰 것이다.

마찬가지로 천골과 가까운 허벅지에서의 외회전은 발뒤꿈치에서의 외회전보다 그 벌어지는 느낌이 적다. A와 B의 거리의 차이인 것이다. 즉 A에서의 외회전의 진폭보다 B에서의 외회전의 진폭이 크다.

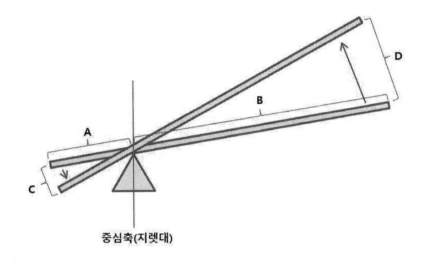

[그림 4-54] 시소원리

간단하게 말해 움직임의 원앙지의 진폭을 느끼는 것보다 멀리에서 진폭을 느끼는 것이 더 쉽다는 것이다. 가까운 데서는 너무 가까워 움직임의 외회전 하는 거리를 측정하기 힘들다. 채찍을 휘두를 때 멀리서 더 요동치는 것과도 같은 이치이다. 그래서 발뒤꿈치를 잡고 두개천골의 움직임을 촉진하는 것이 훨씬 쉽다. 물론 발뒤꿈치를 통한 치유도 가능하다. 에너지의 방향은 양방향이기 때문이다. 장기organ 치유의 경우와 같이 진앙지를 직접 치유할 수 있으면 더욱 바람직할 것이다. 스틸포인트는 신체 다양한 곳에서 만들 수 있다. 후두골에서 보통 만들지만 다리에서 만드는 것이 훨씬 쉽다. 차이는 직접적으로 뇌실을 압박하여 치유자극을 활성화 하는가 못하는가에 있다. 다리에서 스틸포인트를 만들 수는 있지만 뇌실 압박에 의한 직접적인 치유적 효과를 못 볼 수 있다. 초보자의 경우 두개천골리듬을 읽기 위해 다리에서 연습하는 것이 바람직하다. 당연히 치유적인 효과도 볼 수 있다.

두개천골기법을 시행할 경우 항상 이러한 원리에 입각하여 치유세션을 진행하여야 한다. 시소원리를 다리에만 적용시키는 우를 범하지 말아야 한다. 예를 들어 골반의 두개천골리듬상의 균형을 맞추기 위해 시소원리를 접목시킬 수 있다. 치유를 위한 균형 맞추기는 교정법에 시소원리를 접목시킬 수 있다는 것이다. 이것은 아주 중요한 사항으로 두개천골을 처음으로 접하는 사람들이 교정의 원리를 이해 못하여 사용하고 있는 잘못된 교정법을 수정할 수 있는 지침이 될 수 있다. 예를 계속해서 보도록 하자. 장골의 한 쪽 움직임은 강한데 한 쪽이 약할 경우 과연 여러분은 어떻게 균형을 맞출 것인가? 이렇게 되는 이유는 다양할 것이다. 두개천골리듬의 불균형, 주변 근육상 문제, 근막 문제, 인대 문제 등 다양하다. 그러나 여기서 우리가 느껴야 하는 것은 두개천골리듬에 의한 장골의 외회전이다.

마사지나 강한 카이로프랙틱식 교정으로는 두개천골의 이러한 미세한 움직임 차이를 절대 맞출 수 없다. 이때 시소원리를 접목시켜야 한다. 약한 쪽을 강하게 만드는 것이 쉽고 효율적이기에 움직임인 강한 장골을 어제부와 소어제부로 제어한다. 제어하는 순간 우리가 원하는 시소의 원리가 적용된다. 양 외측으로 외회전 하던 장골이 이제는 한 쪽만 외회전 하게 된다. 즉 고정된 곳이 새로운 지렛점이 되고 반대 측 장골에 저항점이 된 지렛점에서 축적된 에너지가 전달되게 된다. 그리고 잠시 후 강한 시소 움직임이 새로운 축을 기준으로 하여 생성되게 된다. 제한을 만들고 있기에 움직임이 아직 없지만 그 움직이려는 에너지의 축적에 의해 약한 쪽을 받치고 있던 손이 버티기 힘들게 된다. 이때 제한하고 있었던 곳, 즉 새로운 지렛점을 풀어줌으로 해서 양쪽의 움직임을 가능하게 한다. 이제 약한 쪽의 움직임이 더 커지고 그로 인해 양쪽 장골의 움직임의 균형이 생기게 된다. 이러한 원리는 신체 어는 곳에서든 두개천골리듬의 균형을 잡기 위해 적용할 수 있다.

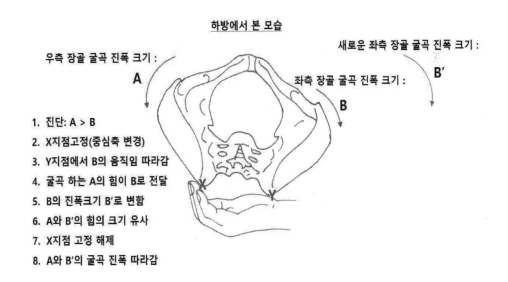

[그림 4-55] 장골 두개천골리듬 균형잡기

두개천골리듬 및 뇌척수액

　두개골천골리듬에 앞서 호흡에 의해 두개골의 움직임이 있음을 알아야 한다. 흡기 시 두개골은 굴곡을 하여 전체적으로 두개골은 좌우로 넓어지며 호기 시 신전작용으로 두개골은 전후로 넓어진다. 다시 말해 흡기 시 굴곡 형상에 의해 두개골이 좌우로 퍼지고 전후의 길이 즉 이마에서 외후두융기까지의 길이는 짧아지고 호기인 신전 시 양 측두골의 거리가 좁아지고 이마에서 외후두융기까지의 길이는 길어지게 되는 것이다.

　뇌척수액은 두개천골리듬에 의해 지속적으로 순환되며 뇌와 척수를 적신다. 두개천골리듬은 능동적인 굴곡과 신전의 두 개의 리듬을 갖는다. 언급되었듯이 굴곡 시 두개골의 전후 길이는 짧아진다. 하지만 두개골에만 국한되지는 않는다. 굴곡 리듬이 발생할 경우 두개골과 신체 전체가 벌어지는 현상이 일어난다. 반대로 신전 리듬이 발생할 경우 두개골과 신체 전체가 좁아지는 현상이 나타난다.

　두개천골리듬은 서덜랜드에 의해 '원초적호흡운동primary respiratory motion'이라고 정의되었다. 서덜랜드에 의하면 뇌척수액 흐름의 변동 또는 파동이 두개골들에 영향을 미치고 신체 전반의 골격구조에 영향을 미친다고 한다. 이에 따라 두개골들이 움직일 수 있다는 것이다. 서덜랜드는 이러한 뇌척수액의 흐름이 지속적이라고 믿었으나 업플레져에 의해 뇌척수액의 형성이 주기적이고 리듬적이라는 것이 밝혀졌다.

업플레져는 반폐쇄수압 시스템으로 두개골의 움직임과 리듬을 설명하였다. 두개골 내 뇌실이 뇌척수액 생성을 위해 부풀어 오르고 뇌척수액으로 인한 압이 높아져서 한계점에 다다르게 되면 두개봉합의 수용기들이 이를 감지해서 뇌척수액의 생성을 멈추게 하고 뇌척수액이 정맥으로 배출되게 한다. 뇌척수액이 배출되어 압이 감소하게 되면 두개봉합의 수용기들이 다시 이를 감지해 뇌척수액을 다시 분비하도록 신호를 보내게 된다.

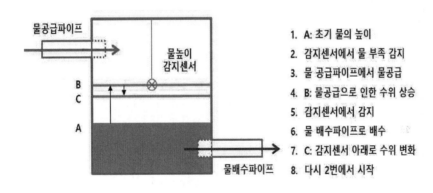

[그림 4-56] 반폐쇄수압시스템개요

뇌척수액의 생성 및 분비를 위해 동맥압은 뇌척수액압의 10배(정상 뇌척수압은 50~180mmH2O=3.7~13.2mmHg이며 누워있는 경우 압력은 전체적으로 고르게 130mmH2O(9.6mmHg)정도이다)가량 되며 뇌척수액의 배출을 위해 뇌척수액의 압은 정맥압의 2~3배 정도 된다.

뇌척수액의 약 70%는 뇌실에 존재하는 맥락총choroid plexus에서 분비된다. 뇌실의 용적은 약 75ml이며 생산되는 속도는 24시간당 약 300~500ml이며 전체용량인 150ml가 하루에 약 3~4번 정도 전체가 교환된다고 알려져 있다. 이는 분당 약 0.3~0.4ml 정도 분비된다는 것이다.

뇌척수액의 성분은 혈장plasma과 비슷하지만 알부민albumin과 포도당 함량은 적다. 뇌척수액은 가측뇌실lateral ventricle에서 뇌실사이구멍interventricular foramen에 도달한다. 그 후 제4뇌실의 가측 구멍foramen of Luschka과 정중구멍foramen of Magendie을 통해 거미막밑공간으로 유입된다. 거미막밑공간으로 유입된 뇌척수액은 뇌의 바닥 부분에서부터 위로 대뇌반구 너머로 흐르거나 아래로 척수 주위로 흘러 내려간다. 뇌척수액은 주로 위시상정맥굴superior sagittal sinus로 흡수된다. 거미막과립Arachnoid granulation은 거미막이 경질막을 거쳐 정맥공venous sinus으로 돌출된 작은 주머니이다.

뇌척수액의 모든 성분이 정맥으로 흡수된다. 뇌척수액은 뇌 조직의 화학적 환경을 일정하게 유지하는데 기여할 뿐 아니라, 머리에 가해지는 충격을 감소시킴으로써 뇌를 물리적 손상으로부터 보호한다. 또한 뇌척수액은 중추신경계CNS를 외상으로부터 보호하며 1.5kg 정도의 뇌를 50g 정도로 줄여주는 부력을 제공하여 뇌로 확산된 대사산물 및 불필요한 성분을 제거한다.

또한 Ca, K, Mg 등의 이온농도를 조절하여 혈압, 심장박동, 감정 상태 등을 조절하는데 영향을 미친다.

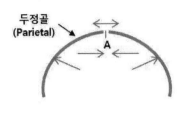

두정골
(Parietal)

A

1. **A: 감지신경(관상봉합에 위치)**
2. **뇌척수액생성으로 두정골 압이 상승**
3. **이로 인한 봉합간격확장**
4. **뇌척수액 생성 멈춤**
5. **다양한 정맥동을 통해 뇌척수액의 정맥배출**
6. **압의 감소로 인해 관상봉합간격 축소**
7. **감지신경이 이를 인지**
8. **뇌척수액 생성 재개**

[그림 4-57] 뇌척수액 생성과 흡수

뇌척수액과 혈액을 분리하는 역할은 혈뇌장벽Blood-Brain Barrier이 한다. 이는 불필요한 물질이 뇌 속으로 들어가는 것을 막는 역할을 한다. 이로 인해 포도당 같은 작은 물질들은 지용성이 아니지만 쉽게 뇌 조직 속으로 들어갈 수 있다. 분자량이 큰 단백질은 뇌 속으로 들어갈 수 없지만 기타 당류나 일부 아미노산을 운반할 수 있는 다양한 운반 기전이 존재한다.

혈뇌장벽으로 인해 CNS 속의 화학적 환경이 일정하게 유지되고 삼투압 자극에 대항하여 CNS가 보호되며, 세포가 CNS 속으로 들어오지 못하게 막기 때문에 CNS는 면역 특권을 누리는 셈이다. 그러나 대증요법식 치료적 관점에서 볼 때 혈뇌장벽은 항생제 등의 약물이 뇌 속으로 들어가지 못하도록 막거나 유입량을 줄이기도 하는 단점도 있다.

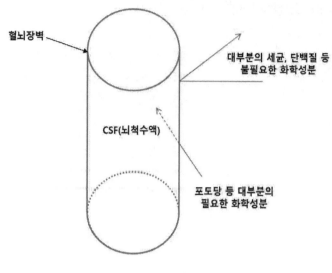

혈뇌장벽

대부분의 세균, 단백질 등
불필요한 화학성분

CSF(뇌척수액)

포도당 등 대부분의
필요한 화학성분

[그림 4-58] 혈뇌장벽

두개천골의 리듬은 두개골의 리듬인 CRI에서 확장된 개념으로 두개천골기법의 근본 개념이다. 이러한 리듬은 율동적인 속도, 질 그리고 진폭을 가지기 때문에 그 차이로 인한 신체의 불균형을 파악하고 치료하는 것이다. 이는 이미 언급되었듯이 뇌척수액의 분비와 생성 및 흡수로 인해서만 생기는 리듬이라고는 할 수 없다. 전문가마다 측정치가 상이하지만 보통 정상적인 두개천골리듬은 분당 8~12회 정도이다. 두개천골리듬은 불수의적이며 분당 15~18회 정도인 수의적인 호흡리듬, 분당 70~75회의 불수의적인 심장박동리듬, 분당 7~8회 정도의 장기리듬과 또는 다른 어떠한 리듬과 구분된다. 현재 CRI에 대한 많은 상이한 이론들이 있으며 어느 것도 정확하다고는 할 수 없다. 즉 CRI가 무엇을 의미하는지에 대한 정의가 이론가들

마다 상이하며 언급되었듯이 박동수 또한 상이하다. 그렇지만 한 가지 확실한 것은 CRI의 존재에 대해서는 모두 동의하고 있다는 것이다.

다시 한 번 말하지만 일부 전문가들이 주장하는 뇌척수액의 분비로 인해 두개천골리듬이 생성될 수도 있지만 정확하지 않다는 것을 알아야 한다. 어떠한 학설도 증명되지 않았다는 것이다. 당연히 어떤 학설도 정설로 받아들여서는 안 되며 두개천골리듬에 대한 많은 이론을 치유에 도움이 되도록 참조하도록 하는 것이 바람직하다.

두개골과 천골의 움직임 및 동기화

두개골 치료에 있어 서덜랜드는 두개골과 관련된 움직임을 구성하는 요소를 중추신경계인 뇌와 척수의 움직임, 뇌척수액의 파동적인 움직임, 뇌내막의 움직임, 두개골의 움직임과 천골의 움직임의 다섯 가지로 구분하였다. 이를 좀 더 자세히 풀이하면 다음과 같이 설명될 수 있다.

뇌와 척수도 발생학적인 원래의 장소로 돌아가기 위한 고유의 움직임인 모틸리티를 가진다. 고여 있는 물에 운동성이 가해지면 지속적으로 물의 파동이 생기게 되는 것처럼 뇌척수액도 주변 조직의 운동성에 의해 파동적인 움직임을 갖게 되는 것이다. 조직의 고유한 움직임 외에도 주변 조직과의 관절형식의 연결 또는 단순 근막적인 연결에 의한 모빌리티가 생긴다. 경막, 지주막, 연막 등 두개골 내의 막들과 뇌막들 간의 형성된 상호적긴장reciprocal tension에 의해 그리고 두개골 주변의 다양한 근육들 및 두개골 자체의 움직임에 의해 모빌리티가 생긴다. 다양한 움직임 중 하나가 천골의 움직임이다. 천골은 경막관을 통해 두개골과 연결되어 있기 때문에 장골 사이의 천골을 가지고 있는 골반의 미세한 긴장 및 골반으로 연결된 다양한 근육의 미세한 긴장으로 인한 움직임은 두개골에 영향을 미칠 수밖에 없다.

두개골과 천골에 부착되어 있는 경막관에 의해 천골의 움직임이 두개골 내 뇌막에 영향을 준다는 것을 두개천골기법에서는 당연시한다. 경막관은 대후두공과 상부 경추 2~3개에 부착되고 밑에서 천골2번의 천골강에 부착되어 횡축을 중심으로 움직인다. 하지만 정확히 짚고 넘어가야 할 것이 있다. 임상적으로 두개골과 천골 사이 움직임의 동기화를 통해 치유효과가 높아지는 것은 이미 널리 알려져 있다. 그렇지만 과연 두개골 내의 경막의 움직임이 천골의 움직임을 만들 수 있을 정도로 강한가에 대한 의문을 가지지 않을 수 없다.

경막 자체가 하나의 늘어나지 않는 플라스틱이나 줄이라고 가정해보자. 그 줄 양 끝에 두개골과 천골이 달려있다면 두개골의 미세한 움직임도 천골을 움직일 수 있다. 그 미세한 움직임이 아주 작더라도 그 움직임은 탄력성이 없는 즉 늘어나지 않는 줄에 의해 한쪽에서 다른 한 쪽으로 전달된다.

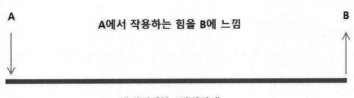

A에서 작용하는 힘을 B에 느낌

탄성이 없는 연결상태

[그림 4-59] 움직임의 전달

이번에는 탄력이 조금 있는 줄을 생각해 보자. 탄력이 조금이라도 있으면 그 탄력의 한계점까지 도달해야 더 이상 늘어나지 않는 줄이 되어 한쪽에서 발생하는 운동에너지를 다른 쪽으로 전달할 수 있을 것이다. 여기서 생각해봐야 하는 것이 경막의 탄력과 두개골의 움직임이다.

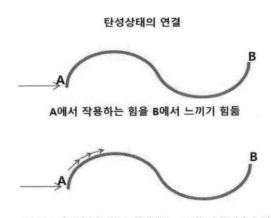

탄성상태의 연결

A에서 작용하는 힘을 B에서 느끼기 힘듦

B에서 A의 힘을 느끼기 위해서는 AB의 탄성력을 넘어서는 힘이 가해지거나 A를 통해 지속적인 힘이 가해져야만 한다.

[그림 4-60] 탄성 움직임의 전달

두개골의 움직임이란 우선 뇌척수액의 순환에 의해 발생하거나 호흡에 의해 발생할 수 있다. 하지만 두개골의 움직임은 봉합간의 제한성이 존재하기 때문에 절대로 클 수 없다. 경막의 탄력은 어떠한가? 우리의 척추가 굴곡이나 신전을 하는 경우를 살펴보아야 한다.

완전한 굴곡이나 신전이 일어날 경우 우리의 신체가 얼마나 휘어지는가를 생각해야 한다. 스스로 한 번 해보면 더 확실히 알 수 있다. 척추가 직립해 있을 때의 경막관의 길이가 x라고 하면 휘어졌을 때는, y가 휘어진 거리라고 하였을 경우, 그 길이가 x+y가 된다. 이렇게 휘어져서 경막이 늘어날 수 있는 최대한의 길이가 되어 늘어남의 한계치에 도달하였을 때 두개골의 움직임이 천골의 움직임을 가져올 수 있을 것이다.

하지만 척추가 휠 수 있는 만큼 다 휘었다고 해서 경막이 늘어날 수 있는 한계치에 도달했을까는 사실 의문이다. 적은 양이지만 더 늘어날 수 있다는 것이다. 그렇다면 두개골의 움직임이 천골의 움직임을 만들 수 없다는 결론이 나온다. 즉 가만히 누워있는 경우에는 단순 후두골의 움직임이나 천골의 움직임이 경막관 자체로만 상호 전달되지 않는다는 것이다.

척추관의 변화가 크게는 9cm까지도 존재하는 경우가 있다는 것이 그 증명이 된다. 약간씩 차이가 나지만 경추의 신전과 굴곡 시 경추관의 후벽이 크게는 3cm까지 차이가 날 수 있다. 다음 표에서 각 척수관의 굴곡과 신전 시 길이의 변화를 볼 수 있다.

단위(mm)	굴곡	신전
경추부	+28	-15
흉추부	+3	-3
요추부	+28	-20

[표4-1] 척수관의 길이 변화(출처: Jean-Pierre Barral and Alain Croibier, Trauma, 1999)

길이의 변화는 척수관뿐 아니라 상호긴장막의 한 요소인 대뇌겸에서도 가능하다는 것을 코스토포울로스Kostopoulos와 커라미다스Keramidas가 밝힌다. 이들은 해부를 통해 전두골리프트에 의해 대뇌겸이 1.44mm 늘어났고 두정골리프트에 의해 1.08mm 늘어났다고 보고한다. 또한 두개저가압으로 -0.33mm의 대뇌겸 변화와 두개저감압으로 +0.28mm 차이 나는 것을 보고한다. 비록 생체와 다른 해부용 카데바cadaver에서 행한 것이지만 중요한 것은 전체 두개골 내 상호긴장막은 변화할 수 있다는 것을 보여준 것이다.

고무줄을 예로 들어 보자. 고무줄이 느슨하게 되어 있어 한 쪽을 고정시키고 다른 한쪽에서 잡아당길 때 느슨하게 늘어나 있던 것이 먼저 끌려오고 어느 순간부터 저항을 느끼게 되고 저항감을 느끼며 늘어날 수 있는 한계치까지 고무줄을 늘려갈 수 있다. 이 저항감을 느끼는 순간부터 고정되어 있는 한 쪽에 다른 쪽의 움직임으로 움직임을 유발할 수 있다. 마찬가지로 경막이 늘어날 수 있는 한계치가 100이라고 하고 80부터 저항이 생기며 늘어나기 시작한다면 경막이 항상 80이라는 긴장성을 가지고 있다는 전제가 되어야 두개골의 움직임에 의해 천골의 움직임이 발생할 수 있게 된다.

하지만 여기서도 문제가 되는 것은 두개골과 천골 사이에 어떤 것이 움직임을 주도 하는 가에 의문이 생긴다. 만약 두개골의 움직임이 우선이라고 하면 두개골이 굴곡에서 신전으로 갈 경우 경막의 늘어나는 성질에 의해 두개골의 움직임과 천골의 움직임에 오차가 생기게 된다. 즉 두개골과 천골의 동기성이 깨지게 된다는 것이다. 두개골과 천골의 움직임이 동기화가 되려면 그 팽팽한 경막이 탄성이 없다는 것이 가정되어야 한다. 마차와 말이 연결되어 있는 경우가 그러하다. 말이 전진하면 마차도 전진하고 말이 후진하면 마차도 후진하게 되는 것이다. 하지만 탄성이 있는 막대기로 말과 마차가 연결되어 있다면 말이 후진할 경우 마차가 움직이려면 말이 움직이는 시간과 오차가 발생할 수밖에 없는 것이고 말이 전진할 경우 관성에 의해 말이 멈춘다고 한들 마차가 멈추기 위해서도 시간의 차이가 발생할 수밖에 없다.

또한 이러한 사항 즉 막대기 같은 팽팽한 긴장을 유지하고 있는 경막에 의해 한 쪽의 움직임이 다른 한 쪽을 움직이게 한다는 것을 전제로 하면 두개골의 움직임과 천골의 움직임은 항상 일치해야 한다. 하지만 두개골과 천골의 굴곡과 신전은 항상 동기성을 유지하고 있지 않는 경우가 많다. 쉽게 말해 경막에 의한 두개천골계에 의문이 생길 수밖에 없는 것이다. 한 가지 확실한 것은 경막에 의해 두개관과 뇌가 영향을 입는다는 것이고 그렇기에 경막을 무조건 풀어야 한다.

두개골 내 경막의 움직임으로 인해 채찍이 파동치는듯한 움직임을 천골로 경막관을 통해 보낼 수는 있겠지만 이것으로도 천골의 움직임을 만들 수 있는 힘이 있을지는 의문이다. 전체적으로 보았을 때 경막의 탄성이 있다는 것은 확실하다. 즉 경막은 늘어날 수 있으며 두개골과 천골의 움직임에 시간차이가 있을 수 있다. 즉 비동기화 되는 시간이 존재한다.

또 다른 가정은 CSF의 분비에 의한 수액의 파동일 수 있다는 것이다. 하지만 정상 뇌척수압(50~180mmH2O = 3.7~13.2mmHg)을 능가하는 압(약10배)으로 분비되지만 분당 0.3~0.4ml 정도로 분비되기 때문에 그 속도가 뇌척수액 전체에 큰 파동을 일으킬 정도가 안 된다. 물론 이 경우 지속적으로 분비되는 CSF로 인해 파동이 지속되며 이에 따라 파동이 점차 커진다고 생각할 수 있으나 이 또한 많은 이견이 존재한다.

뇌척수액의 분비로 인한 뇌척수액의 파동은 크지 않지만 근육의 움직임, 굴곡과 신전, 호흡과 심장박동에 따른 뇌로 가는 혈액의 흐름에 따라 뇌척수액은 지속적으로 움직인다. 레비Levy LM에 따르면 건강한 사람의 경우 뇌척수액의 흐름은 최대 초당 1.5cm(12.4±2.92mm/sec)를 움식인다. 척수에 외상이나 종양으로 인해 선상에 문세가 있는 경우 뇌척수액의 흐름은 초당 0.3cm(1.87±1.4mm/sec)까지 떨어질 수 있다. 즉 채찍같이 파동 치는 것은 아니지만 뇌척수액의 흐름은 존재하고 건강에 따라 뇌척수액 흐름에 차이가 있다. 또한 이러한 느낌은 숙련된 두개천골기법사에 의해 감지될 수 있다. 신체는 우리가 살아온 것을 그대로 보여준다. 마찬가지로 뇌척수액 흐름의 특징을 우리가 살아온 것을 투영하는 것으로 보고 유체역학적 흐름과 심신의 성향까지도 결정될 수 있다는 이론도 존재한다.

다른 각도에서 움직임의 근원을 찾아볼 수 있다. 해부학적으로 볼 때 경막의 위치를 잡아주기 위한 다른 조직들도 있기 때문에 생각 이상의 긴장성이 존재할 수 있다. 즉 여기서 언급했던 것보다는 경막의 움직임 에너지 전달력은 강할 수 있을 수 있다. 누워있는 경우 중력에 의해 뇌는 후두부에 강하게 밀착되고 척수는 경막의 뒤쪽 posterior으로 이동하게 된다.

또한 지주막의 앞부분은 견인traction된다. 이 경우에 경막이 잡아당겨지게 되면 치상인대dentate ligament에 의해 척수도 같은 방향으로 움직인다. 경막을 잡고 있는 구조물 중 하나인 척수의 위치를 잡고 있는 치상인대 및 신경구조 등에 의한 에너지 전달력이 존재한다. 하지만 이런 구조에도 불구하고 아직 후두골의 미세한 움직임의 전달력이 과학적으로 뚜렷하게 증명된 사례는 없다. 또한 항상 염두하고 있어야 하는 것은 횡으로 잡혀있는 신경 등에 의한 제한도 있다는 것을 인지해야 한다. 이 부분은 더 연구해 보아야 할 부분이 아닐까 사료된다.

로벳반응계Lovett Reactor를 적용시켜보면 오히려 간단할 수 있다. 하지만 이것 또한 임상적인 데이터를 바탕으로 하고 있다. 이를 설명하는 경우에는 보행상태를 들 수밖에 없다. 우리가 몸을 움직일 때, 예를 들어 한 쪽 엉덩이를 움직이면tilt 머리는 엉덩이와 같은 쪽으로 움직이되 흉곽은 반대쪽으로 움직인다. 바로 보상작용이다. 우리가 직립보행을 하면서 눈의 수평을 맞춰야 하기 때문에 일어나는 현상이라고 보면 된다.

로벳Lovett(1905)은 골반과 두개골의 커플링 움직임과 척추들의 커플링 움직임을 다음과 같이 표현했다. 물론 항상 그렇다는 것은 아니지만 대부분의 경우 로벳반응계를 따른다고 보면 된다.

척추 커플링:

- C1은 L5와 비슷한 방향으로 움직인다.
- C2은 L4와 비슷한 방향으로 움직인다.
- C3은 L3과 비슷한 방향으로 움직인다.
- C4은 L2의 반대방향으로 움직인다.
- C5은 L1의 반대방향으로 움직인다.
- 계속해서 T5와 T6의 반대방향 움직임까지 계속된다.

골반-두개 커플링:

- 천골은 후두골의 반대방향으로 움직인다. 후두골의 림다봉힙 부분이 진방으로 갈 때 천골첨sacrum apex은 후방으로 움직인다.

- 장골은 같은 쪽ipsilateral의 측두골은 반대방향으로 움직인다. 장골이 전방으로 회전할 때 측두골은 후방으로 회전한다.
- 미골은 접형골과 같은 방향으로 움직인다.

물론 이러한 것은 모든 반사점이 정상적일 경우이기에 절대로 무조건적이라고 간주해서는 안 되며 보통 움직임이 큰 경우 이러한 형상이 일어나며 가만히 누워있는 경우 그러한 반응이 나타나지 않기 때문에 두개천골기법을 할 경우 두개천골의 동기화가 로벳 반응에 의한 것이라고 하기에도 문제가 있다.

오히려 응용근신경학Applied Kinesiology의 두개천골기법에서와 같이 호흡에 의한 두개골의 움직임과 흉추부의 움직임으로 인해 전달되는 에너지가 천골에까지 힘을 작용하는 경우를 살펴볼 수 있다. 흡기와 호기 시 두개천골의 움직임이 유사한 시간에 움직이는 것을 촉지를 통해 알 수 있다. 하지만 이것 또한 문제가 있다. 피시술자로 하여금 호흡을 멈추게 하여도 두개골과 천골의 움직임이 있기 때문이다. 이러한 움직임이 유일하게 설명되는 것이 바로 CSF의 생성에 의한 것이라고 할 수 있지만 언급되었듯이 그렇게 미세하게 흐르는 듯한 CSF의 생성으로는 두개천골의 움직임을 정확히 설명할 수 없다. 단지 우리가 경험적, 임상적으로 알고 있는 것은 두개천골의 움직임이 존재한다는 것뿐이다.

이러한 사항을 놓고 볼 때 우리가 받아들일 수 있는 유일한 것은 두개천골의 동기화가 신경계의 작용이라는 것이다. 다시 말해 두개골의 움직임이 발생할 때 신경계의 전달체계로 인해 천골의 움직임을 유발한다는 것이다. 신경은 거리에 제약 없이 동시에 발화할 수 있다. 두 개의 구조에 발생하는 시차나 비동기성도 신경계로는 설명이 가능하다. 바로 신경계에 문제가 있기 때문에 그런 불균형이 생성되는 것이다. 두개골과 천골의 다른 움직임이 따로 발생한다는 것이고 두개골과 천골의 움직임을 조정할 수 있는 신경계의 조절기능이 있다는 것이다. 움직임의 시차나 비동기성은 경막의 탄성, 두개골 및 두개골 부위 그리고 천골 부위의 만성적인 신경흥분에 의한 제한이나 긴장에 의한 것이라고 봐야 한다. 그렇기에 경막과 근막을 통과하는 신경계를 안정시켜야 하고 그것을 위해 두개천골기법을 사용하여야 한다.

　신경계의 반응이라는 것이 가장 타당한 가정이라는 임상적 이유는 두개골과 천골의 동기화를 위해 후두골과 천골 아래 손을 대고 가만히 있기만 해도 동기화가 이루어지는 현상 때문이다. 굳이 업플레져 방식의 활주glide·slide 기법을 사용할 필요가 없다. 중요한 것은 임상적으로 두개골과 천골의 움직임은 동기화되었을 때 가장 효과적인 치유결과를 가져온다는 것이다. 또한 두개골과 천골의 동기화는 비동기화와 마찬가지로 그 메커니즘의 정확한 이유는 현재로는 알 수 없지만 동기화가 가능하고 동기화된다는 것이나. ㄱ 미세한 움직임의 오차범위는 우리가 충분히 수용할 수 있을 것이다.

상호적긴장막

상호긴장막은 뇌내막과 척수를 포함하여 미골의 골수까지 연결되어 일정한 긴장을 형성하는 것이다. 경막의 연장속상에 있는 뇌내막에도 국소적인 상호적긴장막reciprocal tensional membrane이 형성된다. 이는 뇌내막은 근육이나 근육을 둘러싸고 있는 근막처럼 심하게 늘어나지 않는다는 것을 전제로 한다. 뇌내막이 늘어날 수 있다면 얼굴형태의 변형은 아주 심하게 될 것이다. 뇌내막이 늘어나지 않는다면한 쪽으로 형성되는 긴장성은 과연 어떻게 유지될 수 있을까? 예로두정골의 한 쪽에 긴장감이 강하다는 것은 그쪽에 연결된 뇌내막이늘어나는 것이 아니라 오히려 두꺼워지게 되는 것이다. 봉합의 역할중 하나는 지그재그로 형성되어 전단력이나 무한 확장하는 것을 제한하는 것이고 여러 뼈가 봉합으로 연결되어 있는 것도 마찬가지로두개골 중 하나가 무한 확장하는 것을 제한하는 역할도 하고 있다.뇌내막의 경우도 뼈의 확장을 막는 역할을 수행한다. 경막은 일정한긴장감을 유지하고 있기 때문에 상호긴장막이라고 하는 것이다. 즉한쪽에서 이 상호긴장막을 잡아당긴다면 그 힘이 전체에 동일하게작용한다는 것이다. 뇌의 모틸리티나 뇌척수액의 파동에 의해 생성되는 힘은 상호긴장막에 동일하게 적용된다는 뜻이기도 한다. 이러한 힘은 경막 전체에 미세하게 적용되며 상호적긴장reciprocal tension은 다음에 설명된 소뇌천막과 대뇌겸이 만나는 곳에서 가장 강하다.

뇌내막의 근간인 경막의 외측은 두개골 자체의 골막과 연결된다. 내측막이 가운데에서 정맥동sinus을 형성하며 뇌를 좌뇌와 우뇌로 크게 나눈다. 뇌내막은 크게 대뇌겸falx cerebri, 소뇌겸falx cerebelli과 소뇌천막tentrorium cerebelli의 3개로 나뉜다. 터키안sella turcica을 덮고 있는 안장가로막diaphragm sellae이 있기는 하지만 상호적긴장막 형성에 크게 영향을 미치지는 않는다. 그렇지만 상호적긴장막 또는 그 긴장에 의해 영향을 받을 수 있다. 이는 뇌하수체pituitary gland를 둘러싸고 있다.

대뇌겸은 닭의 볏처럼 생겨서 계관crista galli이라고 명명되는 사골 돌기, 전두골, 양쪽 두정골 그리고 후두골린 부위에 부착되어 뇌를 좌뇌와 우뇌로 나누는데 두 개의 막이 합쳐져서 형성되는 것이고 그 사이로 상시상정맥동superior sagittal sinus이 형성된다. 소뇌겸은 대뇌겸과 마찬가지로 뇌를 좌우로 나누지만 소뇌겸의 경우 소뇌를 좌우로 나누는 역할을 한다. 소뇌천막은 후두골, 두정골, 측두골 및 접형골의 상상돌기인 전상돌기와 후상돌기에 부착되어 대뇌와 소뇌를 수평으로 나눈다. 소뇌천막과 대뇌겸이 만나는 곳에 직정맥동straight sinus가 형성된다.

대뇌겸, 소뇌겸과 소뇌천막이 형성하는 상호긴장막은 두개관을 4개의 공간으로 나눈다. 이는 균형과 중추신경계의 보호를 위해 존재한다. 우선 상호신장막에 의해 뇌가 최적의 위치인 두개관 내 정중앙에 위치하게 된다. 이러한 구조로 인해 뇌에 공급하는 수액과 배

출되어야 할 수액의 순환을 위한 공간이 생기기도 한다. 또한 뇌에
가해지는 아르키메데스의 부력(Archimedean thrust: 수액 안에 놓인 물체가 솟구치려
는 힘)을 균등하게 분산시킨다. 또한 깊게 파여 형성된 골로 인해 뇌
의 깊은 곳까지 수액이 미칠 수 있게 한다.

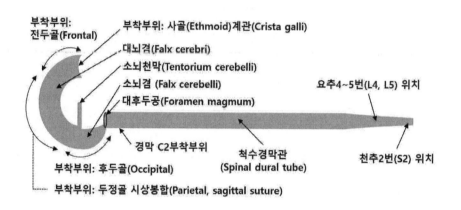

[그림 4-61] 상호긴장막 전체 구조

이렇게 다른 이름의 경막들은 뇌 내에서 서로 연결되어 있기 때
문에 한 곳에 생긴 긴장이나 제한이 다른 부위에 영향을 미치는 것
은 신체 전반의 근막체계와 동일하다. 호흡의 리듬에 따른 두개골의
움직임에 따라 이러한 경막들 또한 움직이게 되어 뇌내막의 긴장은
지속적으로 발생하고 변화한다. 예를 들어 두개골의 굴곡단계에서는
대뇌겸은 좌우로 넓어지고 소뇌천막은 발 방향으로 내려가며 좌우로
넓어지고 신전단계에서 대뇌겸은 좌우로 짧아지며 소뇌천막은 원래
위치로 되돌아간다. 상호적긴장막에 의해 정맥의 순환이 이뤄지지만
이러한 부위의 장애나 제한은 순환을 방해할 수 있다.

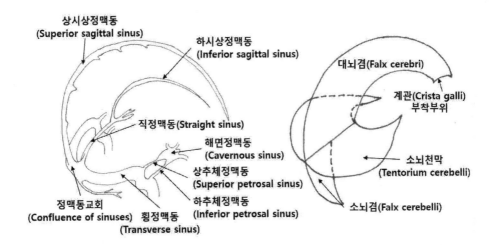

상시상정맥동
(Superior sagittal sinus)

하시상정맥동
(Inferior sagittal sinus)

대뇌겸(Falx cerebri)

계관(Crista galli)
부착부위

직정맥동(Straight sinus)

해면정맥동
(Cavernous sinus)

상추체정맥동
(Superior petrosal sinus)

소뇌천막
(Tentorium cerebelli)

하추체정맥동
(Inferior petrosal sinus)

소뇌겸(Falx cerebelli)

정맥동교회
(Confluence of sinuses)　횡정맥동
(Transverse sinus)

[그림 4-62] 대소뇌겸과 소뇌천막간의 상호긴장막 형성 및 정맥동

정확히 기억해야 하는 것은 상호긴장막의 전체적인 구조는 경막 전체를 다룬다는 것이다. 천골이나 요추부위의 경막과 대뇌경막이 형성하는 상호긴장막간에도 끊임없는 긴장이 형성되어 중추신경계를 보호하고 안정적인 신경 전달과 뇌의 기능을 최상으로 유지한다는 것이다.

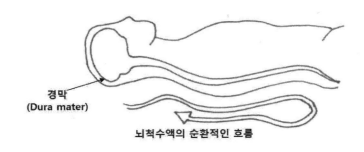

경막
(Dura mater)

뇌척수액의 순환적인 흐름

[그림 4-63] 상호긴장막 주변의 수액흐름 구조

리듬 및 중립지역

주기적인 율동을 리듬이라고 한다. 주기적이라는 것은 일정한 시간을 두고 움직인다는 것을 뜻한다. 두개천골 리듬은 이렇게 일정한 간격을 두고 굴곡과 신전을 오간다. 두개천골의 움직임은 원초적인 움직임이다. 두개골이 숨을 쉬는 듯한 형상인 이 리듬은 호흡의 리듬과도 같이 일정한 간격을 두는데 분당 약 6~12번이다. 업플레져는 이 움직임의 범위에서 크게 벗어나는 경우 신체에 심각한 장애가 있다는 것을 나타낸다고 정의한다.

하지만 다른 두개천골기법사들에 의해 리듬은 다양한 간격을 가진다는 것을 알 수 있다. 감각이 뛰어난 수기요법사들이 측정한 수치로 기계적으로 측정한 수치와 비슷하다고 할 수 있다. 대부분의 두개천골기법사들의 경우 업플레져의 리듬수치를 기준으로 하고 있다.

두개천골리듬은 굴곡에서 신전까지 오가는 리듬을 나타낸다. 그 사이에 중립지역이 있다. 즉 굴곡도 아니고 신전상태도 아닌 시소로 비교하면 시소가 균형을 이룬 상태라고 할 수 있다. 보통 중립에서 시작하여 굴곡의 극점을 치고 다시 중립상태로 돌아와서 신전상태로 들어가기 전까지 3초, 신전상태에서 극점을 지나 다시 중립상태로 돌아오고 굴곡상태로 들어가기 전까지 3초로 6초를 일반적인 두개천골리듬의 한 사이클로 본다. 이렇게 보면 분당 약 10번의 두개천골 리듬이 있게 된다.

물론 사람마다 다르고 상태에 따라 다르다. 정상적인 상태에서 중립지역에 머무는 시간을 측정하기는 거의 불가능하다. 분명한 것은 중립지역은 굴곡과 신전의 교집합적인 간격이다. 리듬의 시간도 중요하지만 물리적인 진폭의 강도 또한 간과하면 안 된다. 얼마나 굴곡과 신전이 크게 아니면 작게 또는 움직임의 진폭이 없는가를 항상 생각해야 한다.

이는 리듬의 균형을 잡는 것이 중요하기 때문이다. 이미 언급되었던 시소원리를 적용시켜서 균형에 이루게 한다. 다시 한번 극단적인 예를 들어 보자. 굴곡 시 두개골의 확장이 A만큼 되었고 신전 시 두개골의 B만큼 움직였다면 정상적인 균형 잡힌 경우 A=B여야 한다. 그렇다고 A=B라고 해서 다 정상이라고 할 수 없다. 항상 '질'이 더해져야 한다. 여기서는 진폭의 강도이다. 임의적으로 굴곡과 신전의 움직인 거리를 각각 A, B라고 하고 진폭 또한 두 개로 정해 x, y라고 하자. x는 약한 것이고 y는 강하고 큰 진폭이다. 1) (Ax, Bx)에서 A=B의 경우 정상일 가능성은 높지만 진폭이 약하기 때문에 건강에 문제가 있을 수 있다. 2) (Ax, By)의 경우 A=B의 경우일지라도 진폭의 차이가 있기 때문에 이러한 경우 시차가 생길 수 있나. 즉 굴곡의 경우 늦게 극점에 도달하지만 신전의 경우 빠르게 극점에 도달하는 것이다. 이 시차를 절대로 굴곡과 신전의 거리 차이로 보면 안 된다. 3) (Ay, Bx)의 경우도 마찬가지로 시차를 가질 수 있다. 이러한 경우 A=B라고 할 때 큰 문제는 아니지만 치료가 필요하다. 2), 3)의 경우 A≠B라면 당연히 치료가 필요하며 장기적일 수 있다. 4) (Ay, By)의 경우며 A=B의 경우라면 이상적이다. 여기서도 A≠B라면 치료가 필요하다. 치료는 오히려 간단할 수 있다. Ay=By로 만들어 주면 되는 것이다.

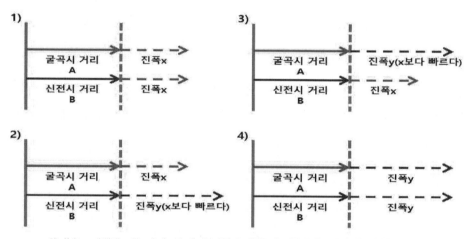

[그림 4-64] 두개천골리듬의 균형 맞추기

진단(리스닝)

리스닝은 정골의학식 수기요법에서 가장 중요한 부분이다. 이는 카이로프랙틱의 촉진이며 진단과 같은 뜻이다. 병원이나 한의원에서도 진단을 한다. 진단을 해야 무엇을 고칠 것인지 아니면 상담을 할 것인지 알 수 있다. 진단 없이 할 수 있는 것은 아무 것도 없다. 척추의 아탈구를 손끝으로 만져가며 촉진하는 카이로프랙터chiropractor나 맥을 보는 한의사 그리고 여러 가지 과학적 기구를 사용하여 진단하는 의사들의 경우 그 진단 능력에 따라 치료효과도 상이하다. 마찬가지로 정골의학식 수기요법을 하는 경우에도 진단 능력이 곧 치유 능력을 좌지우지한다고 할 수 있다.

두개천골기법사는 정골의학식 수기요법을 구사한다. 그렇기에 정골의학 방식의 진단 방법을 사용한다. 진단은 의외로 간단해 보인다. 소위 '고수'의 경우 그저 몸 한군데를 만져 보는 것으로 진단이 끝난다. 사실 진단이 곧 치유이기 때문에 고수의 경우 그렇게 빨리 치유를 하는 것이다. 그럼 과연 정골의학식 진단의 실체는 무엇인가? 리스닝이란 무엇인가에 대해 파헤쳐 보도록 하자.

리스닝에는 크게 다음 3가지 유형이 있다.

1. 제너럴리스닝(general listening)
2. 로컬리스닝(local listening)
3. 감정리스닝(emotional listening)

제너럴리스닝

　정골의학 방식을 사용하는 수기요법사는 손을 사용하여 진단한다. 즉 손으로 피시술자 또는 환자의 신체를 읽는 것이다. '생각의 탄생'에서 저자들은 몸의 움직임이 생각이 된다고 정의하고 있다. 그들은 생각하는 것이 느끼는 것이고 느끼는 것이 생각하는 것이라고 주장하는데 이것이야 말로 정골의학의 진단법을 정확히 표현한다고 할 수 있다. 어떤 조직에 문제가 생기면 그 조직은 탄성을 잃고 근막의 균형이 깨지게 된다. 이것이 의미하는 것은 바로 움직임의 새로운 축이 생긴다는 것이다. 움직임이 없거나 약하다는 것은 제한이 존재한다는 것이고 제한이 있는 경우, 모든 긴장 또는 수축되는 감각은 그 제한으로 향하는 방향성을 띄게 된다. 예를 들어 수술 흉터가 있다면 그쪽으로 당겨지는 듯한 느낌이 들게 되는 것이다.

　중요한 것은 환자가 이완된 상태로 있어야 하는 것과 시술자도 마찬가지로 객관적인 마음을 가지고 이완되어 있어야 한다. 이는 마치 손을 통해 신체를 빨아들이는 느낌 또는 끌어당기는 느낌을 가져야 하는 것이다. 손이 환자의 일부가 되는 것이 아니라 그 환자의 느낌을 빨아들이는 기기가 되어야 하는 것이 맞다. 약간의 해부학 지식을 가지고 있으면 두개골을 촉진하면서 근육의 긴장성과 연계성을 가지고 내부 장기 또는 제한을 가지고 있는 신체 부위를 정확하게 진단할 수 있다.

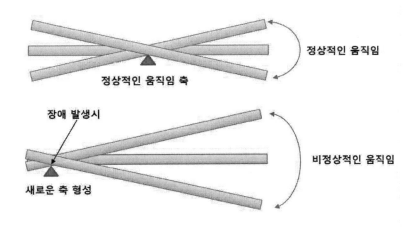

[그림 4-65] 축의 형성

바렐Jean-Pierre Barral, DO은 리스닝 할 때 숨을 들이마시는 것을 추천한다. 당연히 접촉의 감을 얻기 위해서는 숨을 내쉬라고 한다. 또한 손으로 받아들인 첫 정보 또는 움직임이 제대로 된 반응이라는 것을 믿으라고 제안한다.

제너럴리스닝은 환자의 몸에 손을 대고 신체 전반의 정보를 받아들이는 것이다. 이를 통해 주요 제한부위를 찾아내는 것이다. 이를 위해 우선 자기보존 기전에 대해 이해하여야 한다. 추운데 있으면 신체 어느 부위부터 느낌이 없어지는가? 즉 동상은 사지 말단에서부터 시작된다. 이것이 뜻하는 것은 우리 뇌는 신체를 보호하기 위해 혈액의 공급을 더 중요한 곳으로 보낸다는 것이다. 즉 사지말단까지 혈액을 보낼 여력이 없고 온도를 적절하게 유지 할 수 없기 때문에 사지부터 포기하는 현상이 생겨서 나타나는 것이다. 내장기의 보호가 우선이기 때문이다. 내장기의 손실은 죽음으로 곧 바로 이어지기 때문이다. 마찬가지로 이러한 자기보존 기전은 근골격 통증에도 나타난다. 우측 복부가 아픈 경우 그것이 장기이든 단순 근육통이든 간에 상관없이 뇌는 그 부위를 보호하고 자가 치료를 하려고 노력한다. 근육통증인 경우 뇌는 수축에 의한 통증을 제거하기 위해 통증 부위를 느슨하게 하려고 그 부위를 기준으로 하여 몸을 꺾거나 구부리게 한다. 내장의 문제로 인한 통증의 경우도 마찬가지이다. 통증제거 및 그 부위를 보호하기 위해 통증 부위를 축으로 하여 비틀거나 구부리거나 손으로 눌러 수축을 제거하려고 한다. 제너럴리스닝은 이렇듯 가장 심하게 문제를 만드는 부위를 찾는 방법이다.

제너럴리스닝으로 찾는 장애부위는 가장 큰 문제를 가지고 있는 곳이라기보다는 그 진단 순간에 가장 큰 문제를 제시하는 부위로 먼저 치료해야 하는 부위라는 의미만을 가진다. 즉, 우선 치료를 하고 난 뒤 다시 제너럴리스닝 또는 일반적인 리스닝을 수행하여 그 순간의 주요 장애부위를 찾는 것이다. 그렇기에 구부러지는 현상은 각을 형성하게 되고 각의 가장 극점이 바로 제한을 나타내는 부위로 보는 것이 타당하다. 제한 부위를 찾는 방법 중 하나가 스위치기법이다. 전등을 켜기위해 스위치를 누르는 방식에서 유래한 것으로 바렐은 이것을 제한기법이라고 한다. 하지만 용어에서 오는 오해를 막기 위해 스위치기법이라고 명명한다.

1. 스위치기법을 활용한 제너럴리스닝

스위치기법은 언급되었듯이 전등을 켜고 끄기 위한 스위치를 통해 설명될 수 있다. 쉽게 생각하자. 우리가 통증부위를 누르는 것과 마찬가지이다. 복통이 있는 경우 우리 신체는 보통 그 부위를 기준으로 하여 수축하거나 구부러지게 된다. 하지만 그 부위에 압을 가하는 경우 통증을 제거하는 느낌이 들며 구부러진 몸을 펼 수 있게 된다. 스위치기법은 우리 신체가 자연스럽게 이해하고 있는 기법을 체계화하여 제한 부위를 찾는 것이다. 스위치를 눌러 불을 켜듯이 제한 부위를 눌러 '제한'의 느낌을 순간 제거하는 것이다.

1) 움직임기록

• A, B점 접촉없이 먼저 머리에서 하방으로 압을 가하여 나타나는 움직임기록

2) 두 점 접촉

• A점에 가벼운 접촉 후 머리에서 하방으로 압을 가함: 움직임 없음(처음 움직임과 같음)
• B점에 가벼운 접촉 후 머리에서 하방으로 압을 가함: 움직임 있음(처음 움직임과 다름)
• B점에 장애가 있을 수 있음

3) 확인

• B점에 접촉 제거후 머리에서 하방으로 압을 가함: 움직임 없음(처음 움직임과 같음)
• 다시 B 점에 가벼운 접촉 후 머리에서 하방으로 압을 가함: 움직임 있음(처음 움직임과 다름)
• B점에 장애가능

주의:

움직임은 다양하게 나타난다. 하지만 맨처음 한 손으로 머리에서 하방으로 압을 가할 경우 뒤로 넘어가는 움직임이 있으면 우울증 등 다양한 증상이 있을 수 있으므로 상담 및 가족력 확인이 필요하다.

[그림 4-66] 스위치기법

여기서 내가 언급하고자 하는 제한은 복통의 예에서 언급된 그런 심한 통증일 수도 있지만 보통 눈으로 알 수 없는 제한, 예를 들어 만성적인 제한을 찾아내고자 하는 것이다. 아주 미세한 느낌을 찾아내야 하기 때문에 손의 느낌이 아주 중요하다. 스위치기법은 두 손을 사용한다. 환자가 직립 상태에서 몸을 이완시킨다. 한 손으로 환자의 머리 위에 손을 얹고 다른 손으로는 제한 부위를 찾는다. 우선 머리 위에 얹은 손에 약간의 압력을 넣어 다리 쪽으로 눌러본다. 절대로 강한 압을 사용하는 것이 아니다. 서서히 압을 가하여 환자가 느끼는 불편함을 최소화해야 한다. 이렇게 압을 가할 때 몸은 두 가지로 반응한다. 첫째, 움직임이 없다. 둘째, 움직임이 있다.

움직임이 없는 경우는 신체 전반에 걸쳐 큰 문제가 없다는 것을 뜻한다. 물론 제너럴리스닝이기 때문에 세부적인 리스닝 또는 후에 다른 로컬리스닝을 수행하여야 한다. 움직임이 있는 경우 그 움직임의 크기를 측정해야 한다. 몸이 앞으로 흉요추부에서 앞으로 구부러지고 좌측늑골하 부위를 기준으로 좌측으로 또 구부러진다면 바로 그 두 곳의 축이 만나는 지점에 문제가 있을 수 있다는 것을 나타낸다. 그것은 신장일 수도 있고 기타 근 골격계 문제일 수도 있다. 하지만 문제는 이러한 몸의 방향성이 항상 크게 일어나지는 않는다는 것이다. 즉 위의 손으로 눌렀을 때 움직임이 있는 듯한 느낌만 있는 경우가 많다. 이러한 경우 스위치기법을 사용하여 다른 손으로 제한이 일어나는 부위에서 여러 군데를 촉진하여 볼 때 머리 위의 손이 느끼는 그 느낌이 사라지는 부위를 찾아낼 수 있다.

2. 앉아서 하는 제너럴리스닝

환자가 직립 상태인 경우 가끔 제한 부위가 골반 밑 즉 하지의 문제인지 아닌지 헷갈릴 때가 있다. 이러한 경우 하지의 문제를 제외하기 위해 또는 하지로 판명하기 위해 환자를 앉혀 놓고 제너럴리스닝을 하도록 한다. 물론 스위치기법을 활용하여 제너럴리스닝을 할 수도 있다. 주의할 것은 환자의 다리가 바닥에 닿지 않게 하고 그저 매달려 있게 하여야 한다. 이완시키는 방법이고 앉아 있는 것으로 인해 하지의 정보가 차단되고 잘못된 정보가 전달되지 않게 하기 위해서이다.

허리를 펴게 하여 한 손은 머리 위에 접촉하되 두정골을 가로지르게 대도록 한다. 다른 손은 요천골부위에 접촉한다. 직립 상태에서 하지인지 하복부인지 또는 요추부위인지 정확하게 촉진이 되지 않았다는 가정 하에 앉은 상태에서 머리 위에서 압을 가할 경우 신체의 움직임 여부를 확인하다. 만약 움직임이 없다며 문제는 하지에 있다는 것이고 직립 상태에서와 같은 움직임이 나타난다면 하복부나 요천추부위의 문제로 정확하게 진단이 가능하게 된다.

3. 두개천골에서 사용하는 제너럴리스닝

두개천골의 경우 환자가 내원하였을 때 직립 상태에서 제너럴리스닝을 먼저 시행한다. 그 다음 앙와위에서 제너럴리스닝을 사용한다. 물론 앉은 상태에서 제너럴리스닝을 수행하여도 된다. 앙아위에서 하는 제너럴리스닝은 환자가 이완되어 있는 상태에서 발을 잡고 한다. 여러 가지 방법이 있는데 여기서는 많이 사용하는 두 가지를 설명한다. 첫째 방식은 전체 근막을 잡아당기는 방식으로 한다. 둘째 방식도 마찬가지이지만 접촉하는 부위와 사용하는 방법에 약간의 차이가 있다.

첫째 방식으로 근막 전체를 느끼는 방법은 환자의 뒤꿈치를 두 손으로 잡고 약간 들어서 살며시 다리 쪽으로 즉 시술자 방향으로 잡아당긴다. 이를 통해 방향과 위치를 알아낼 수 있다. 연습 방법에서 다루겠지만 비닐 랩이나 수건을 깔아놓고 그 위 한 부분에 컵을 올려놓고 한 쪽 끝에서 잡아 당겨보면 그 컵이 놓여 있는 부위에서 제한이 있는 것을 알 수 있다. 잡아 당겨지는 느낌이 덜하고 팽팽한 것을 느낄 수 있는 것이다.

마찬가지로 간에 문제가 있거나 우측 횡행결장의 간만곡부에 문제가 있는 경우 다리를 잡아당길 때 우측 다리가 잘 안 당겨지고 탱탱한 느낌을 받는다. 또한 다리를 잡고 약간 잡아당기면서 좌우로 약간, 아주 약간만 흔들어보면 문제가 있는 곳에서 휘어지는 것의 느낌이 다를 수 있다. 제한이 있는 곳으로 탱탱한 느낌이 들게 된다.

이것도 잡아당기는 것과 마찬가지로 제한이 있는 부위에서 시술자가 잡고 있는 부위간의 수축감의 느낌이 극대화되는 지점을 찾아내는 것이다.

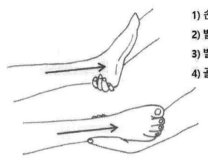

1) 손 전체를 사용하여 발을 뒤꿈치부위에서 잡는다.
2) 발을 바닥에서 약간 올려 마찰력을 최소화한다.
3) 발을 하방으로 천천히 잡아당겨 다양한 느낌을 찾는다.
4) 골반을 넘어 가는 느낌이 있는지 집중해서 찾도록 한다.

[그림4-67] 다리를 통한 리스닝 1

둘째 방식으로 앙아위에서 피시술자의 발등을 살며시 잡고 족저굴곡plantar flexion 시킨 후 지속적으로 잡고 있다가 살며시 압을 풀어주되 손은 발등에서 떨어뜨리지 않는다. 이때 발이 배측굴곡dorsi flexion으로 돌아가는 속도의 차이를 측정한다. 빨리 돌아가는 쪽에 문제가 있을 수 있다.

위의 간만곡부 제한의 예를 들면, 우측 발이 족저굴곡에서 배측굴곡으로 돌아가는 속도가 좌측보다 빠르다. 이 방식은 굳이 발등을 잡고 잡아당기지 않고 단지 리스닝을 통해 그 느낌을 찾아낼 수 있다.

모든 리스닝이 그렇듯이 발등에 손을 대고 있다 보면 자연스럽게 문제가 있는 측의 발이 배측굴곡 하는 느낌이 들 것이다. 위의 방식과 같지만 리스닝의 접촉에 있어서 차이가 있다.

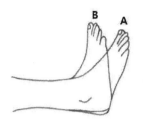

1) 손바닥전체로 A위치로 발을 족저굴곡시킨다.
2) 손바닥이 떨어지지 않도록 하며 손의 힘을 뺀다.
3) 발이 배측굴곡하여 B위치로 돌아가려는 강도를 측정한다.

[그림 4-68] 다리를 통한 리스닝 2

이와 같은 방식으로 발을 잡는 대신 두개골과 환추 사이를 잡고 제너럴리스닝을 할 수 있다. 발을 잡았을 경우 횡격막 위까지의 느낌을 찾아내기가 힘들다. 두개골을 잡았을 경우는 골반 밑으로 내려가기가 힘들다. 마찬가지로 발등을 잡았을 경우 신체 후면부의 제한을 찾기가 힘들며 두개골을 잡았을 경우 신체 전면의 제한을 찾기가 힘들다. 물론 전면의 제한은 후면으로 연결되고 후면의 제한은 전면으로 연결되기 때문에 숙련된 수기요법사에게는 큰 문제가 없을 것이다.

두개골을 리스닝이나 진단방식으로 사용하는 SOT의 경우 척추 제한의 위치를 정확히 파악해내기도 한다. 두개골을 잡거나 발등을 잡는 경우 진단 지역의 교집합은 몸통이 된다. 즉 다리와 두개골을 통한 진단으로, 다시 말해 발등과 두개를 통한 리스닝으로 몸통의 제한 위치를 충분히 찾아낼 수 있다. 다음의 로컬리스닝으로 더 자세하고 명확한 위치를 찾을 수 있다.

로컬리스닝

　제너럴리스닝으로 제한 위치를 찾은 후 정확한 위치를 찾기 위해서는 로컬리스닝을 사용한다. 로컬리스닝을 통해 해당 장기 및 제한이 심한 문제 부위를 찾을 수 있다. 중요한 것은 신체가 제공하는 정보를 그저 받아들여야 한다는 것이다. 숨을 들이마시며 리스닝을 수행하는 것이 쉬우며 손가락을 사용하는 것보다 손바닥과 어제부 및 소어제부를 사용하여 리스닝을 해야 하며 처음 느낌이 정확하다는 것을 믿고 수행하여야 한다. 로컬리스닝의 방법 또한 제너럴리스닝과 마찬가지로 끌어당겨지는 부분을 촉진하고 찾아내어 제한된 부분을 찾아내는 것이다.

　어떤 조직에 문제가 있어 긴장 또는 수축이 강하게 형성된다며 손은 그쪽으로 끌려가게 된다. 물론 촉진연습이 필요하다. 제한이 피부와 하나가 되어 있는 손을 잡아당기는 현상이라고 보면 된다. 약간의 압을 가해 손과 피부의 접촉을 유지하며 압을 풀면 더 확실히 잡아당기는 느낌을 찾아낼 수 있다. 하지만 로컬리스닝의 경우 잡아당기는 느낌이 멀리 가지 않을 수 있다. 이러한 경우 조금씩 이끌리는 곳으로 가서 다시 로컬리스닝을 수행하도록 한다. 즉 순차적인 리스닝을 통해 제한 부위를 정확하게 찾아내는 것이다. 숙련 되면 아주 빠르게 문제를 찾아낼 수 있다. 제한된 부위 즉

문제의 근원에 손이 위치하게 되면 더 이상 잡아당기는 느낌을
느끼지 못한다.

　　로컬리스닝에서도 스위치기법을 사용하여 제한 부위를 찾아낼
수 있다. 이 경우 한 손은 대략적인 제한 위치에 놓고 다른 손의
손가락으로 제한 부위에 접촉을 하여 약간의 압을 가해준다. 이때
다른 손에서 느끼는 잡아당기는 느낌이 순간 생기며 더 깊은 압이
가해지면서 사라지게 된다면 정확하게 문제의 근원을 찾아낸
것이다. 이 손과 문제의 근원 사이로는 직선의 수축선이 형성된다는
것을 기억하면 된다.

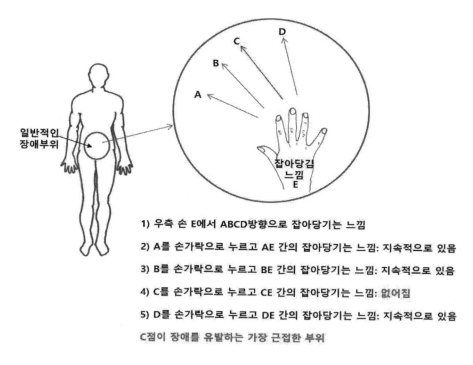

1) 우측 손 E에서 ABCD방향으로 잡아당기는 느낌
2) A를 손가락으로 누르고 AE 간의 잡아당기는 느낌: 지속적으로 있음
3) B를 손가락으로 누르고 BE 간의 잡아당기는 느낌: 지속적으로 있음
4) C를 손가락으로 누르고 CE 간의 잡아당기는 느낌: 없어짐
5) D를 손가락으로 누르고 DE 간의 잡아당기는 느낌: 지속적으로 있음
C점이 장애를 유발하는 가장 근접한 부위

[그림 4-69] 로컬리스닝에서의 스위치기법

감정리스닝

동양의학에서 주장하는 것과 마찬가지로 최근 정골의학에서도 감정을 장기로 연결시킨다. 다음 도표는 장기와 감정 간의 일반적인 관계를 나타낸다. 감정리스닝은 제너럴감정리스닝을 통해 큰 그림을 그리고 난 후 로컬감정리스닝을 통해 만약 장기의 문제가 감정의 문제를 가져왔다면 그 해당 장기를 파악하게 한다. 감정리스닝의 경우 일반 리스닝의 끌어당겨짐과는 다른 느낌이 난다. 손이 신체에 접촉해 있지만 떨어지는 느낌 또는 표면상 미끄러지는 느낌이 난다.

장기	관련 감정	비고
간(liver)/쓸개(gallbladder)	화남	사지 힘이 빠짐
심장(heart)/소장(small intestine)	기쁨	부종 발생 가능
폐(lung)/대장(large intestine)	슬픔	변비, 피부이상
비장(pancreas)/위장(stomach)	걱정	설사 가능
신장(kidney)/방광(bladder)	공포	허리 통증, 생식기이상

[표 4-2] 일반적인 감정과 장기의 관계

제너럴감정리스닝은 제너럴리스닝과 마찬가지로 직립 상태에서 수행하도록 한다. 손을 머리 위에 접촉하되 아주 가볍게 접촉한다. 이때 몸은 빠르게 반응하는데 주로 몸이 뒤로 오거나 앞으로 가거나 옆으로 움직인다. 몸이 뒤로 오는 경우 보통 과거의 문제가 환자를 괴롭히고 있다는 것을 뜻한다. 몸이 앞으로 가는 것은 미래의 문제로 인한 고민을 나타내는 것이고 몸이 옆으로 움직이는 것은 현실에 불안감을 가지고 있다는 것이다. 또한 이러한 경우 움직임이 해당 장기 쪽으로 움직이게 되는 경우가 많다. 이렇게 큰 그림을 그린 후 로컬감정리스닝을 통해 장기와 연관관계를 찾아내도록 한다. 물론 장기와 크게 연관되지 않을 수 있지만 장기와 감정은 어떤 방식으로도 연관되어 있기 때문에 오히려 쉽게 찾아낼 수 있다.

치료방법(간접·직접·유도)

두개천골의 리듬을 읽어냈다면 치료의 방향 또는 방법을 결정해야 한다. 치료의 방법을 보통 간접방식, 직접방식으로 나눈다. 하지만 여기에 유도방식을 더하여야 한다. 간단하게 표현하면 제한에 직접적으로 힘을 가하는 교정으로 직접방식과 제한방향으로 따라가는 간접방식 그리고 움직이지 않는 경우 움직임을 강제로 만들어 주는 형식인 유도방식이 있다. 일반적인 정골의학이나 정골의학에서 사용하는 기법으로 직접이나 간접방식은 모빌리티를 위한 것이고 유도방식은 모틸리티를 위한 것이다. 하지만 굳이 이렇게 구분할 필요는 없다. 압의 강도나 능동적 또는 수동적인 접근 방식에 따라 모빌리티나 모틸리티의 경우에 상관없이 적용할 수 있다. 두개천골기법에서는 주로 간접방식을 따르지만 직접과 유도 방식을 적용하여도 문제가 없다. 하지만 경험상 두개골에 미치는 영향 때문에 임상적으로는 간접방식이 가장 좋다고 할 수 있으며 개인적으로 가장 선호하는 방식이다.

능동 vs. 수동

우선 능동적인 방식과 수동적인 방식의 차이점을 정확히 이해하여야 한다. 능동은 적극적인 방법으로 움직임을 만드는 것이라고 생각하면 된다. 카이로프랙틱 방식의 교정법이 능동적이고 직접적인 방식이다. 제한의 원인에 역학적인 힘을 가해 제한을 푸는 방식이다. 즉 시술자가 적극적으로 촉진을 하여 제한부위를 찾고 제한을 해제하는 형식으로 치료시간이 짧지만 주변조직에 스트레스를 가할 수 있다.

수동방식은 정골의학식 수기요법에서 많이 사용하는 방식으로 피시술자의 신체가 접촉에 반응하여 움직이는 것을 기다리는 것이다. 두개천골기법에서 가장 많이 사용되는 것으로 두개골의 움직임을 느낄 때까지 기다리고 그 리듬에 따라 치료방식을 정하는 것이다. 가만히 손을 대고 있는 것이기 때문에 손의 감각이 아주 뛰어나야 하며 시간이 많이 걸린다는 단점이 있다. 장기교정에서는 능동적인 방식을 주로 사용하고 두개천골기법에서는 주로 수동적인 방식을 사용한다고 보면 타당하다. 물론 구분 없이 능동적 또는 수동적 방식을 사용할 수 있다.

직접방식

직접방식은 제한부위 가까운 곳에서 사용하기 적합하며 제한이 있는 곳을 직접적으로 교정하는 방식이다. 다시 말해 제한으로 인해 한쪽 방향으로 가지 않는다면 가게끔 강제하는 방식이다. 예를 들면 통증이 있는 부위에 압을 가해 제한을 풀어주는 마사지나 지압과 같은 방식이라고 생각하면 쉽다. 언급되었듯이 카이로프랙틱의 교정방식이나 정골의학식 수기요법의 HVLAHigh Velocity Low Amplitude방식으로 제한을 강하게 제거하는 방식이다. 이런 방식의 경우 빠른 속도와 정확한 골격의 위치를 가지고 수행하기 때문에 주변 조직의 손상을 최소화 한다. 하지만 두개천골기법 방식 또는 정골의학 방식의 수기요법에서의 단순 접촉방식의 경우 이러한 속도를 사용하지 않는다. 대신에 가벼운 접촉을 우선으로 한다. 이러한 경우 직접방식이라는 것은 제한을 만들고 있는 쪽에 저항하여 밀고 나가는 것이다.

두개천골기법의 예를 들어 두정골이 측두골과의 관계에서 움직임이 없다면 움직임을 만들어 주는 것으로 리프트 방식을 사용하여 저항 또는 제한에 직접적인 방식을 적용하는 것이다. 가야할 곳으로 안 가는 것을 가게끔 하는 것이다. 우측으로 갔다가 좌측으로 가야 하는 경우 좌측으로 가지 않는다면 좌측으로 가도록 좌측으로 압을 가하는 것이 직접방식이다. 하지만 주의해야 하는 것은 강하게 하지 않는 다는 것이다. 강하다는 것은 주변 조직의 긴장 및 신체의 방어 기전을 유발시켜 치료를 방해하기 때문이다. 그렇기에 서서히 그 조직이 받아들이는 양 만큼씩 적용하여 제한을 풀어주어야 한다.

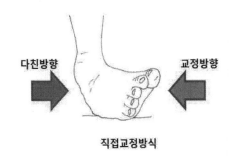

직접교정방식

[그림 4-70] 직접방식의 이해

간접방식

간접방식의 경우 정골의학의 정수가 담겨있다고 할 수 있다. LAS_{Ligamentous Articular Strain}에서도 이 원리에 입각하여 모든 것을 수행한다. 보통 먼 거리에서 치료를 수행하는 경우 사용되기는 하지만 상관없다. 사실 정골의학의 근골격계 관련 모든 치료방식이 나왔다고 할 수 있을 정도로 LAS의 기법은 심오하다. 두개천골기법 또한 이 방식에서 크게 벗어나지 않는다.

LAS의 예를 먼저 들어 보면 간접기법이 어떤 것인지 감이 올 것이다. 이것은 정골의학식 수기요법을 하는 치료사들에게는 필히 이해해야 하는 원리이다. 발목을 삐었다고 가정하자. 보통 내전inversion되어 다리를 삐게 된다. 그림에서 보듯이 다리를 삐게 되었을 때 최대로 내전된 범위가 5라고 하고 정상범위가 0이라고 하면 삐고 난 상태에서의 거리는 2~3 정도이다. 즉 발의 위치가 그 정도에서 긴장을 유지하고 있는 것이다. 긴장감을 수치로 나타내보면 다음과 같다. 정상일 때의 긴장감은 내측이 3, 외측이 3이라고 할 때 삐고 난 뒤 긴장감은 내측이 2, 외측이 1이 될 수 있다. 물론 하나의 예이고 중요한 것은 내측의 긴장감 즉 수축력이 외측의 수축력보다 크다는 것이다.

　　이 경우 테이핑이나 다른 치료 방법에서는 외측 즉 삔 쪽의 반대방향으로 발을 움직이게 된다. 이는 발목의 손상을 더 크게 하는 방법이다. 수축력을 생각해봐야 한다. 발이 내전되어 있다는 것이 과연 무엇을 뜻하는가? 내측의 수축력이 외측의 수축력보다 강하다는 것이다. 그것을 외측으로 보내면 내측의 수축력에 저항감만 크게 하는 것이다. 즉 만약 내측의 수축력이 2이고 외측의 수축력이 1이라할 때 발을 외전 한다면 내측의 수축력은 3이 되고 외측의 수축력이 0.5가 될 수 있는 것이다. 그러면 어떻게 해야 하는가? 당연히 반대로 하면 된다.

　　내전된 발을 내전시키는 것이다. 굉장히 이상해 보일 수 있지만 생각해보면 아주 심오하면서도 간단한 방법임에 놀라지 않을 수 없다. 즉 내전된 발의 내측 수축력이 2이고 외측 수축력이 1이라면 발을 내전시키게 되면 내측 수축력은 오히려 줄어들게 되고 외측 수축력이 증가하게 된다. 이렇게 내전된 발을 조직이 가고자 하는 방향 즉 내전 시키게 되면 균형점에 도달하게 된다. 즉 정상일 때와 마찬가지로 내측수축력과 외측수축력이 같은 시점이 오게 된다. 그 시점에서 발을 서서히 놓아 균형을 유지하게 하고 필요 시 테이핑 등 안정을 취하게 하도록 하면 된다.

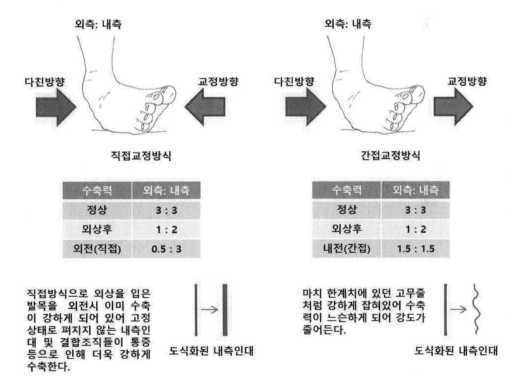

[그림 4 71] 간접방식의 이해

간접방식이 바로 이것이다. 수축력이 강한 방향으로 끌어당겨지게 되어 있는 구조물을 그 방향으로 가게 하는 것이다. 두개천골기법에 있어서도 마찬가지이다. 구조물이 가고자 하는 방향 즉 수축력이 강하거나 제한 때문에 다른 방향으로는 못가서 한 쪽으로만 가게 된다면 그 방향으로 잘 가게 해주는 것이 바로 간접 방식이다.

유도방식

유도방식은 사실 가장 어려운 방식이라고 할 수 있다. 골격이나 구조물 또는 장기 등 치료하고자 하는 것의 움직임 방향과 그 움직임이 끝나서 다시 방향을 바꾸는 점을 정확히 파악할 수 있어야 하기 때문이다. 보통 유도 방식은 움직임이 전혀 없거나 간접방식 치료 시간이 너무 오래 걸리는 경우 사용한다. 두개천골기법에서는 스틸포인트에 들어간 후 자연스럽게 스틸포인트가 해제되지 않을 경우 움직임을 만들어 균형을 수동적으로 만들어 주는 방식이다.

기법 자체는 의외로 간단하지만 느낌을 정확히 찾아 수행하는 것은 의외로 만만치 않다. 예를 들어 접형골이 굴곡을 하는 경우를 보자. 굴곡만 하고 신전을 하지 않거나 그 범위가 크지 않는 경우이다. 굴곡 시 5를 가는데 신전 시 2만 가능경우를 가정할 때 굴곡과 신전을 5:5로 맞추어 균형을 잡는 방법을 유도방식을 사용하여 수행하는 경우이다.

　두 가지 방식이 있다. 첫째, 시소원리를 적용한다. 더 잘 움직이는 굴곡을 따라가서 신전으로 돌아가려는 시점에 작은 힘으로 그 신전으로 가려고 하는 움직임을 제한한다. 이렇게 되면 신전으로 가려는 에너지가 축적되고 다시 굴곡으로 돌아간다. 이 굴곡과 신전 제한이 반복되면서 신전으로의 움직임이 극대화되어 제한하고 있는 손에 압력을 가하게 된다. 그 압력이 충분히 강해지면 신전 움직임이 일어나도록 한다. 그러면 축적된 에너지에 의해 신전이 강하게 일어나고 굴곡과 신전 움직임의 균형이 맞게 된다.

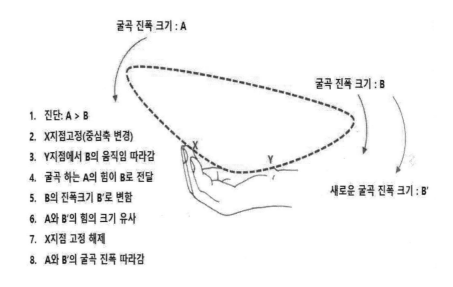

[그림 4-72] 움직임 제한

　다른 방식으로, 더 잘 움직이는 굴곡을 따라가서 신전으로 돌아가려는 시점에 제한하는 것이 아니라 굴곡의 끝점에서 굴곡 방향으로 더 끌고 가도록 한다. 어떻게 보면 제한하는 방법과 마찬가지이지만 그 수행방법에 있어서 약간의 차이가 있을 뿐이다. 굴곡 방향에서 더 굴곡으로 움직임을 끌고 가서 신전으로 가는 에너지를 더 강하게 할 수 있다. 이러한 동작을 반복한 후 테스트를 통해 굴곡과 신전의 균형이 맞는 경우 손을 뗀다.

두 가지 모두 신전을 유도하는 작업을 하기 위해 굴곡을 더 해주거나 신전으로의 제한을 가한 것이다. 이렇게 움직임을 유도해서 양쪽으로의 시소 움직임을 균형있게 만드는 작업이 바로 유도방식이다.

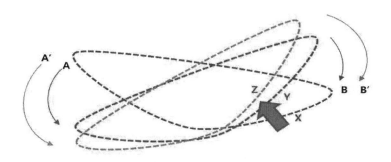

1. 진단: A > B
2. X지점접촉
3. Y지점에서 돌아오려는 힘에 저항하고
4. Z지점까지 A의 진폭변경(잘 가는 쪽으로 움직임 확장)
5. B의 진폭크기 B'로 변함
6. A'와 B'의 힘의 크기 유사
7. X지점 고정 해제
8. A'와 B'의 굴곡 진폭 따라감

[그림 4-73] 움직임 확장

치료 시 간접, 직접, 유도방식을 각기 사용해도 되지만 조합하여 사용하는 것도 무방하다. 하지만 항상 기억해야 하는 것은 가하는 힘이 생각보다 훨씬 작다는 것이다. 마치 그냥 대고 있는 것과 같은 느낌이 들어야 하며 움직임의 방향을 정확히 읽어내야 한다는 것이다. 연습에 의해 감각과 기술 활용방법은 늘 수밖에 없다.

쉬어가기: 진단 시 고려해야 할 사항

진단의 방법은 여러 가지이다. 눈으로 관찰할 수도 있고 물어볼 수도 있고 한의학에서와 같이 맥을 잡을 수도 있고 ROM_{range of motion} 등의 테스트를 할 수도 있다. 오스테오패시에서는 진단에 주로 손을 사용 한다. 실력이 출중하신 분들은 소위 기공이라고 할 수 있는 수준에 도달해 있기도 하다. 어떤 방식이든 상관없이 중요한 것은 환자의 몸이 이야기 하는 것을 제대로 듣는 것이다. 척추가 휘어져 있는 사람이 목이 아프다고 왔다고 가정해보자. 정말 목이 아픈 것일까? 물론이다. 목이 아프니까 목이 아프다고 할 것이다. 하지만 그 원인을 잘 생각해 보면 더 깊은 인체의 신비에 놀라지 않을 수 없다. 이러한 사람에게 경추 교정 및 근육이완을 아무리 한다고 해서 그 통증이 완전히 사라지지는 않는다. 원인이 다른 곳에 있기 때문이다.

우리의 눈은 수평을 맞추게끔 되어 있다. 그렇지 않으면 넘어지기 때문이다. 허리가 휘어졌다는 것은 그 부분부터 위로 다 휘어지게 만든다. 당연히 눈이 수평을 맞추지 못하게 되고 뇌는 눈의 수평을 맞추기 위해 휘어진 쪽 반대쪽 목의 근육을 과도하게 수축시키게 한다. 강제로 수평을 맞추는 것이다. 이러한 경우 목의 통증은 휘어진 척추를 교정하게 되면 좋아질 것이다. 그렇지만 그것이 다일까?

더 봐야 한다. 왜 척추가 휘어졌을까? 생각하여야 한다. 동상이 걸리는 기전을 생각해 보자. 뇌는 우리 신체가 추위에 노출되면 일정한 시간이 지나면서부터는 생존을 위해 불필요한 에너지 낭비를 막는 프로토콜_{protocol}을 실행한다. 바로 피가 손가락이나 발가락까지 가는 것을 막기 시작하는 것이다. 피가 가지 않는 곳은 곧 죽게 된다. 우리는 이것을 동상이라고 한다.

그러면 왜 뇌는 이러한 행동을 하는 것일까? 말했듯이, 뇌는 생존을 위해 내장기를 먼저 보호하게 된다. 그러한 관점에서 보면 손이나 기타 근육, 뼈대는 중요하지 않다. 내장기에 문제는 죽음이라는 것으로 직결되지만 기타 조직은 그렇지 않기 때문이다.

목이 아픈 사람의 경우 척추가 문제가 있는 내장기 쪽으로 통증을 제거하기 위해 즉, 내장기를 보호하기 위해 휘어졌을 가능성도 배제해서는 안 된다. 이러한 경우 목의 통증의 근본 원인은 바로 통증이 있는 목의 반대쪽 내장기에 기능장애$_{dysfunction}$가 있을 경우가 있다는 것이다. 보통 이러한 것은 만성적으로 형성되는 경향이 있다. 해당 장기를 교정하게 되면 목의 통증 또한 눈 녹듯이 자연스럽게 없어지게 된다. 물론 만성인 경우 시간이 소요 될 수밖에는 없지만 재발하는 경우가 드물다.

이와 같이 어떤 통증에 단순하게 접근해서는 안 된다. 그 통증의 기전에 대해 깊이 생각하고 접근해야만 한다. 몸과 대화하는 능력도 키워야 하며 진솔 되게 환자를 대하는 법도 익혀야 한다. 정성이 들어가야 제대로 된 치료를 할 수 있다. 바람이 있다면 환자를 대하는 분야에 종사하는 사람들이 종교의 유무를 떠나 좀 더 마음 닦는 공부를 병행 했으면 하는 것이다.

Chapter V

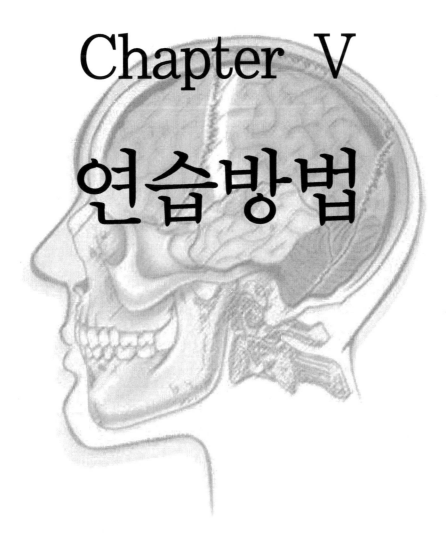

연습방법

CranioSacral Healing Technique Unleashed
Understanding the Healing Protocols and Application of the CST

여기서는 두개천골기법을 제대로 수행하기 위한 감각 연습 방법을 소개한다. 즉 손을 통해 온몸으로 인지될 수 있는 모든 감각기능을 키우기 위한 연습방법으로 피시술자의 신체에 직접 접촉하는 시술자의 입장이 되기 위한 구체적인 연습이다. 인내와 정성으로 임한 꾸준한 연습만이 시술자는 물론 피시술자에게 도움이 될 것이다. 가장 좋은 것은 피시술자에 직접 연습하는 것이다. 리스닝(진단법) 또한 1인 연습을 통해 본인에게 연습을 하고 상대 연습을 하도록 한다. 하지만 처음에는 제대로 된 리듬을 찾는 것과 힘 조절이 어려울 수 있으므로 충분한 연습과 학습을 통해 접근하는 것이 바람직하다. 일부 연습방법은 무술 수련처럼 매일 스스로 반복하여야 한다. 무엇보다 많이 접해보는 것이 가장 중요하다. 여기서 소개되는 연습방법은 숙달될 때까지 수련이라고 생각하고 꾸준히 행하도록 한다. 기초가 튼튼해야 더 높은 단계에 쉽게 다다를 수 있다. 몸을 가볍게 하기 위해 항상 요가나 태극권 아니면 적어도 70년대의 국민체조와 같은 운동이라도 선택하여 꾸준히 하기 바란다. 여기서 연습방법을 통해 이루고자 하는 것 중 하나가 바로 정상적인 느낌이다. 정상이 어떤 것인지 알아야 비정상을 판단할 수 있기 때문이다.

준비운동

손의 감각을 키우기 위해 본격적인 연습 전에 손을 풀어주도록 한다. 감각이 제대로 작용하기 위해서는 혈액순환이 손가락 끝까지 제대로 순환되어야 하고 신경 전달에 문제가 없어야 한다. 그렇기 위해서는 우선 상완신경총을 자유롭게 하여야 한다. 즉 목을 풀어야 한다. 목을 돌려가며 가볍게 풀도록 하자. 그 다음 어깨를 풀도록 한다. 마찬가지로 어깨가 자유로워야 모든 순환계에 문제가 없으며 감각 전달이 자유롭다. 그 다음은 팔꿈치이다. 팔꿈치는 회전하는 관절이 아니다. 경첩관절이기 때문에 서서히 폈다 접었다를 호흡에 맞추어 하도록 한다. 숨을 들이마시며 굴곡하고 내쉬며 신전한다. 다음으로 팔목을 주먹을 쥔 상태로 안쪽, 바깥쪽으로 돌려준다. 다음으로 혈액이 손끝까지 가도록 밥공기를 잡고 있듯이 손을 만들고 팔꿈치는 굴곡 시켜 손이 상방을 향하게 하여 빠르게 내회전과 외회전을 번갈아가며 한다. 소위 말하는 기감을 극대화시키는 방법이다.

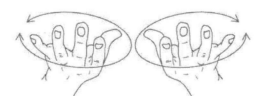

손을 컵을 들듯이 상방으로 위치한 후 좌우로 빠르게 회진한다.

[그림 5-1] 손목 및 팔 풀기

머리카락 찾기

손가락의 감각을 극대화하기 위한 연습방법이다. 머리카락 한 가닥을 뽑아 전화번호부처럼 종이가 아주 얇은 책에 놓고 길이가 어떻게 되는지 어디에 있는지 모양이 어떻게 형성되어 있는지 손가락으로만 느껴보는 훈련을 한다. 처음에는 한 페이지 사이에 넣고 차츰 페이지 수를 늘려가며 연습한다.

어렵다면 얇은 철사로 먼저 훈련을 한 후 머리카락으로 돌아온다. 자세는 항상 기본자세를 취한다. 다리를 바닥에 대고 허리를 곧게 펴서 바르게 앉고 머리를 똑바로 세워 눈은 정면을 향하되 지그시 감는다. 어깨에서 팔을 이완시키되 처지지 않게 하고 손목 또한 이완시키되 처지지 않게 한다. 집중하고 주의를 기울인다.

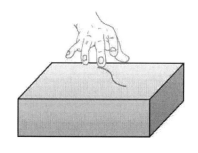

1) 책 속에 머리카락이나 가는 철사를 넣고 위치를 찾는다.
2) 익숙해지면 페이지수를 더해서 넣고 같은 방법으로 찾는다.

[그림 5-2] 머리카락 찾기

허벅지 느끼기

의자에 똑바로 앉은 후 팔을 쭉 펴서 허벅지 위에 접촉한다. 접촉은 손가락을 포함한 손바닥 전체로 가볍게 접촉한다. 어깨와 팔꿈치를 이완하고 눈을 지그시 감은 뒤 손에서 허벅지에서 일어나는 모든 정보를 읽어내도록 한다. 동맥이 크게 분포되어 있기 때문에 맥과 같은 박동이 느껴질 것이며 이에 따른 근육의 미세한 연동운동 같은 느낌이 있을 수도 있다. 허리를 곧게 펴서 앉아 있지만 근육이 이완되어 편하게 되는 순간 두개천골개의 굴곡과 신전 또한 느낄 수 있다. 물론 호흡에 따른 팔의 움직임을 분리하는 법부터 익혀야 한다. 주의할 것은 대둔근 등 엉덩이의 힘을 주지 않는 것이다.

두개천골의 굴곡신전을 비롯한 다양한 느낌 찾기

두개천골의 굴곡

[그림 5-3] 허벅지 느끼기

랩 당기기

　가장 많이 하는 연습으로 랩에 단위를 표시한 후 눈을 감고 물
건을 랩 위에 올려놓고 한 쪽 끝에서 살며시 잡아당기며 놓인 물건
의 위치에 대한 감을 먼저 익힌 후 다른 사람이 연습하는 사람이 노
르도록 물건을 랩 위에 놓고 그 위치를 맞추는 연습을 한다. 랩을
잡아당길 때 천천히 해야 하는 것에 주의를 기울여야 한다. 수건과
같은 천으로 연습하여도 무방하다. 하지만 실력이 좋아질수록 약간
두꺼운 비닐에 다양한 물체를 올려놓고 연습하는 것이 좋다. 궁극적
으로 백 원(5.42g)짜리의 무게를 느낄 수 있는 실력이 되면 더욱 좋다.

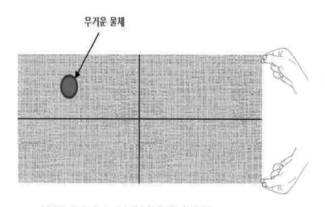

무거운 물체

1) 처음에는 랩보다는 수건과 무거운 물체를 사용한다.
2) 구역을 정해놓고 물건을 한 구역에 올려놓는다.
3) 한 쪽 끝에서 눈을 감고 서서히 잡아 당기며 물체의 위치를 찾는다.
4) 실력이 좋아 질 수록 가벼운 물체로 대체한다.

감각을 빠르게 키우기 위해 처음에는 수건을 사용한다.

[그림 5-4] 랩 당기기

자세

간접방식을 사용할 경우 시간이 오래 걸릴 수 있다. 이를 위해 피곤함을 방지하기 위해 항상 바른 자세를 유지해야 한다. 의자에 앉아서 테이블의 높이를 명치 바로 밑에 오게끔 한다. 허리는 바로 펴고 엉덩이는 의자 등받이에 닿지 않게 하고 발은 무릎을 90도로 꺾어 발바닥이 바닥에 닿게 한다. 목을 곧게 하여 눈으로 테이블의 끝을 보는 듯 편하게 시선을 둔다.

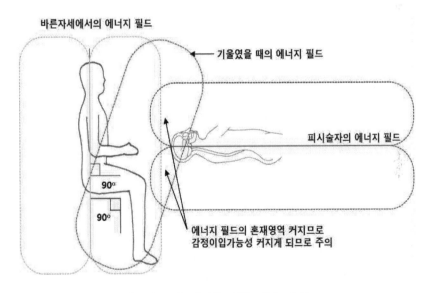

[그림 5-5] 세션을 위한 바른 자세

이러한 자세를 시종일관 유지하는 연습을 하고 이를 위해 벽에 등을 밀착시키고 유령의자를 하듯이 앉아 있는 연습을 한다. 1분이상 버티도록 연습한다. 이를 통해 허리와 허벅지를 강하게 만들 수 있다. 어렵다면 짐볼을 사용하여 스쿼트를 시행하여 허리와 다리의 힘을 키우도록 한다.

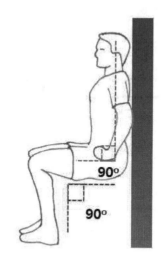

[그림5-6] 자세잡기 기본연습

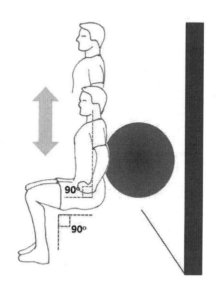

[그림5-7] 짐볼 스쿼트

잡는 법

잡는 법은 많은 연습을 필요로 한다. 우선 처음에는 농구공 정도의 무게가 있는 공을 손바닥을 펴서 굴곡을 따라 잡고 가만히 있는 연습을 한다. 중요한 것은 무게에 저항하는 손의 힘을 빼는 연습을 하는 것이다. 자세는 항상 바르게 유지한다. 손의 감각을 정확하게 익히기 위해 다양한 공이나 무게가 나가는 책을 사용하여 같은 연습을 한다.

무게가 있는 공

1) 손 전체를 사용하여 공을 잡는다
2) 손 전체가 공에서 떨어지지 않고 공의 무게에 저항하는 손의 힘 그리고 몸 전체의 힘을 빼는 연습을 한다.

[그림5-8] 공을 사용한 힘 빼기 자세

다음으로 풍선으로 다음과 같은 방법으로 손의 위치를 연습한다. 풍선을 압박하며 반대편에서 느끼는 것을 느껴보도록 한다. 1인 연습법에서는 허벅지를 활용하여 다양한 압을 느껴보도록 한다. 손 접촉에 있어서도 여러 방법을 적용시켜 본다. 강하게 접촉하고 가볍게 접촉해 본다. 힘을 빼고 어깨부터 모든 관절이 축 쳐지게 하여 접촉하는 것도 느껴봐야 한다. 하지만 중요한 것은 아주 가벼운 백 원 동전(5.42g) 이상 힘을 가하지 않도록 접촉하는 것이다. 또한, 접촉을 손가락 끝으로만 하는 연습과 손바닥 전체를 포함한 접촉 등 다양한 손의 부위를 사용하여 풍선에 가해지는 압의 변화를 촉진하는 연습을 하도록 한다.

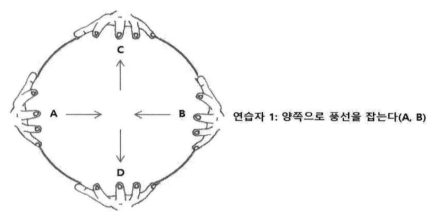

연습자 1: 양쪽으로 풍선을 잡는다(A, B)

연습자 2: 양쪽으로 풍선을 잡는다(C, D)

1) 두명이 그림과 같이 손을 풍선위에 올려놓는다.
2) 연습자 1이 A에서 B 방향, B에서 A방향으로 압을 가한다.
3) 압에 따라 풍선이 C와 D 방향으로 확장된다.
4) 연습자 2는 C와 D 방향으로 확장되는 것을 느낀다.

(풍선크기는 이해를 돕기 위해 크게 도식화 되었음)

[그림 5-9] 손의 위치와 자세 - 2인 연습법

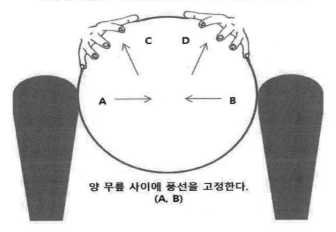

양쪽 상방에서 비스듬하게 풍선에 손을 얹는다. (C, D)

C   D

A →   ← B

양 무릎 사이에 풍선을 고정한다.
(A, B)

1) 그림과 같이 풍선을 양 무릎 사이에 놓고 손을 풍선 위에 올려놓는다.
2) A에서 B 방향, B에서 A방향으로 무릎으로 압을 가한다.
3) 압에 따라 풍선이 C와 D 방향으로 확장된다.
4) C와 D 방향으로 확장되는 것을 느낀다.

(풍선크기는 이해를 돕기 위해 크게 도식화 되었음)

[그림 5-10] 손의 위치와 자세 - 1인 연습법

뇌막 만들기

상호긴장막을 형성하는 뇌막은 크게 대뇌겸falx cerebri, 소뇌겸falx cerebelli 그리고 소뇌천막tentrorium cerebelli으로 구분된다. 대뇌겸과 소뇌겸은 수직선상 또는 시상면sagittal plane에 위치하고 소뇌천막은 수평선상 또는 수평면transverse plane에 존재한다. 하지만 소뇌천막은 약간 수평면에서 밑으로 기울어져 경사를 형성한다. 그래서 귀를 잡아당길 때

어깨 방향으로 벡터가 형성되는 것이다. 뇌막에 대한 3차원적 이해가 없으면 치료 시 어려움에 봉착하게 된다.

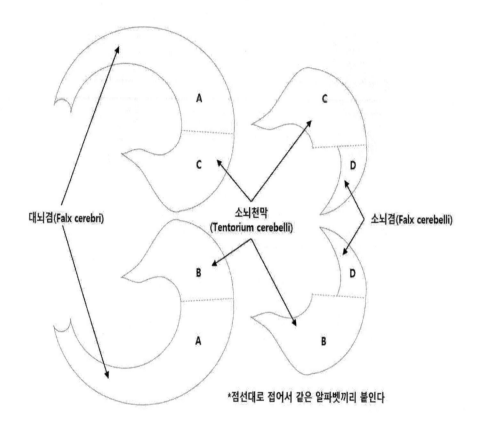

*점선대로 접어서 같은 알파벳끼리 붙인다

[그림 5-11] 뇌막(상호긴장막)

책 끝에 첨부된 그림을 활용하여 뇌막을 만들어 보도록 한다.

손 감각 발달

손 감각을 익히기 위해 백 원짜리 동전을 사용한다. 이미 언급되었듯이 백 원짜리 동전은 약 5.42g으로 이 이상의 힘을 쓰지 않는 것이 바람직하다. 너무 접촉의 강도가 강하면 초보자의 경우 오히려 미세한 느낌을 찾을 수 없기 때문이다. 한쪽 전완의 내측 즉 전완을 회내 시킨 뒤, 백 원짜리 동전을 올려놓도록 한다.

그 느낌에 집중한다. 잠시 후 백 원의 느낌이 사라지고 백 원이 내 몸의 일부가 된 듯한 느낌이 들 것이다. 그렇게 되면 다시 백 원을 전완에서 내려놓고 잠시 후 다시 올려놓는다. 이러한 연습을 통해 약 5g의 무게에 익숙해지도록 한다.

다음으로 백 원짜리 옆에 자신이 반대쪽 손을 살며시 대도록 한다. 그리고 이 손의 무게가 백 원짜리와 같게 접촉 강도를 조정한다. 감이 없어지면 다시 백 원을 내려놓은 후 다시 진행하도록 한다.

사실 이것보다 더 가벼운 접촉을 익히는 것이 좋지만 처음부터 욕심내지 말도록 해야 한다. 백 원이 어렵다면 더 무거운 것으로 연습을 시작해도 무방하다. 될 수 있으면 백 원짜리까지 갈 수 있도록 접촉의 감을 익히도록 하는 것이 바람직하다.

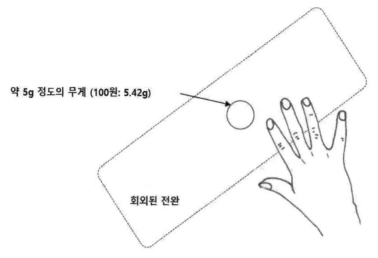

약 5g 정도의 무게 (100원: 5.42g)

회외된 전완

1) 회외된 전완에 100원을 올려놓고 그 느낌을 확인한다.
2) 손을 살며시 100원 옆에 올려놓고 그 느낌이 100원과 비슷한가 확인한다.
3) 100원과 같은 느낌이 되도록 손의 압을 조절한다.

시간이 소요됨에 따라 100원의 무게를 전완이 느끼지 못하게 되므로 다시 처음부터 시행한다.

[그림 5-12] 전완 연습법

리스닝

리스닝은 정골의학식 진단방법이다. 숙달되면 다양한 방식으로 정확한 체성기능장애 부위를 찾아낼 수 있게 된다. 여기서는 리스닝을 하기 위한 연습방법을 제시한다. 우선 1인 연습을 통해 자신의 신체 부위를 통해 연습을 하고 같은 방법을 상대연습에 대입하도록 한다. 에너지 리스닝과 열감리스닝은 많은 시간과 연습이 필요하다. 이를 위해 명상하는 시간도 필히 가져야 한다. 이 방법은 여기서 소개만 하도록 한다. 좀 더 두개천골기법에 능숙하게 되면서 차츰 시행하도록 하는 것이 바람직하다.

에너지 리스닝: 기공연습을 하듯 손을 마주보게 하고 밀어내는 듯한 느낌을 찾도록 한다. 밀어내는 느낌을 좀 더 멀리서 느낄 수 있을 때가 되면 손을 허벅지 위에 두고 서서히 들어 올리며 밀어내는 느낌을 찾도록 한다. 이는 에너지 자기장에 의한 척력의 느낌이다. 조직에 상흔이 있는 경우 느낌이 다를 수 있다.

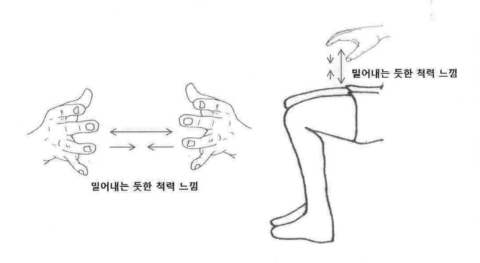

[그림 5-13] 에너지 리스닝

열감 리스닝: 에너지 리스닝보다 쉬울 수 있다. 조직에서 발생하는 열감의 차이를 찾아내는 것이다. 본인 몸의 여러 곳을 손을 직접 접촉하지 않고 서서히 움직이며 손에서 느끼는 열감의 차이를 인지

하는 연습을 하도록 한다. 복부에서 가장 잘 느낄 수 있지만 우선 무릎과 팔꿈치, 손목 등 관절부위와 근육조직부위를 비교하면서 열감의 차이를 학습하도록 한다.

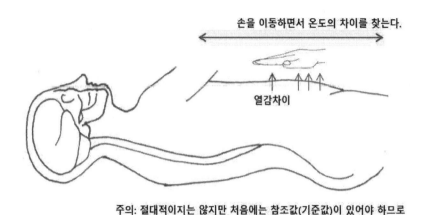

주의: 절대적이지는 않지만 처음에는 참조값(기준값)이 있어야 하므로 피시술자의 상태를 꾸준히 관찰하는 노력이 있어야 한다.

[그림 5-14] 열감리스닝

조직방향 리스닝: 세 가지 리스닝 방법 중에서 가장 쉽지만 이 또한 연습이 많이 필요하다. 조직을 한 방향으로 손가락을 사용하여 조금씩 밀어 올라가본다. 조직의 제한이 있는 경우 그 느낌이 확연히 다르다는 것을 알 수 있다. 또한 조직이 밀어 올리는 방향으로 안가고 제한이 강한 쪽으로 끌려가는 경우를 경험할 수 있다. 제한이 있는 쪽으로 조직이 당겨지는 현상이 있기 때문이다. 이러한 연습을 많이 하게 되면 차츰 손가락 또는 손바닥을 대기만 해도 제한이 있는 곳을 찾을 수 있다. 두개천골기법에서 두개골 외에 다른 신체 검진을 위해 많이 사용한다. 물론 두개천골기법 외에도 많이 사

용된다.

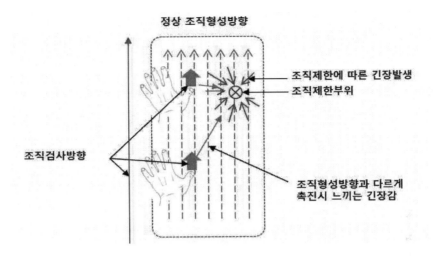

정상 조직형성방향

조직제한에 따른 긴장발생

조직제한부위

조직검사방향

조직형성방향과 다르게
촉진시 느끼는 긴장감

[그림 5-15] 조직제한 방향 찾기

쉬어가기: 쿵후수련법

옛 중국에서는 문(文)과 무(武)를 겸비해야 제대로 된 공부(功夫-쿵후)를 했다고 한다. 단순 학문을 넘어서 심신을 하나로 보고 심신을 닦는 것이 제대로 된 공부(功夫-쿵후)라는 철학이 담겨 있기 때문이다. 심신을 달련하는 법은 동서양을 막론하고 어렵다. 특히 실전에서 사용되기 위해 개발된 무술의 경우는 더욱 그렇다. 그러한 무술을 제대로 익히기 위해 전해 내려오는 훈련철학이 있다. 이는 현재 우리가 공부(工夫)하는데 있어서도 적용될 수 있다. 공부의 분야에 상관없이 배우고자 하는 이는 이를 따름이 바람직하다.

● 개인수련과 대련: 수련의 80%는 혼자서, 20%의 시간은 상대방과 같이 수련한다. 이것의 철학은 바로 실전에 대한 대비를 철저히 하라는 것이다. 상대방(적)을 대면할 때면 빠르게 결말을 내어야 한다는 것이다. 즉 철저한 준비로 적을 단숨에 물리치라는 말이다. 자세히 들여다보면 너무나 타당한 방법이다. 공부하는 학생의 예를 들어보면 시험은 공부기간에 비해 너무나 짧다. 과목별 1시간도 되기 전에 결론을 지어야 하는 경우가 대부분이다. 준비가 되어 있지 않으면 질 수밖에 없는 처절한 결과를 가져오게 된다.

● 연습: 아프더라도 매일 연습한다. 당연한 말이다. 제대로 공부하는 사람의 경우 몸이 아플 기회도 없다고 한다. 그만큼 열심히 한다는 것이다. 무술뿐만 아니라 우리가 하는 그 어떤 공부도 마찬가지이다. 하루도 쉬지 않고 꾸준히 연습해야 한다.

● 양과 질: 양보다는 질이다. 정확한 방법으로 집중해서 제대로 연습하라는 가르침이다. 연습을 무조건 많이 한다고 해서 제대로 무술을 익힐 수 없다는 것

은 무술을 해본 사람이면 알 것이다. 다른 '배움'에 있어서도 같은 룰이 적용된다. 무작정 책을 들고 있다고 해서 책의 내용을 인지할 수 있다는 것은 아니다. 집중해서 그 책의 내용을 탐구해야만 한다. 바로 질적인 배움을 추구하는 방법이다.

- 인내: 비밀이 있는 것이 아니라 인내가 필요하다. 중국무술의 경우 각 계파마다 어떤 비법이 있다고 생각하는 사람들이 대부분이다. 그리고 그것을 배우기 위해 온갖 투자를 한다. 하지만 고전에서 가르치는 유일한 비법은 인내이다. 인내하여 수련에 임하는 것이 비법을 얻는 단 하나의 방법이라는 것이다. 우리 공부도 마찬가지이다. 포기하지 말고 목표한 바를 달성할 때까지 계속 달려가야 한다. 인내하며.

- 적절성: 수련 전에는 배를 가득 채우지 말며 수련 중에는 생각이 분산되지 않게 하고 수련 후에 곧바로 긴장을 멈추지 않는다. 어떤 공부를 할 경우에도 적용되는 가르침이다. 배가 부른 상태에서는 산소공급이 배로 가기 때문에 뇌가 힘들어 한다. 물론 다른 근육들도 쉬기를 원한다. 공부할 때는 집중하여야 하고 공부가 끝난 후에는 곧 바로 쉬지 않고 약간의 긴장을 유지하여야만 제대로 된 학습효과를 볼 수 있다.

- 전수: 스승을 통해 올바른 가르침을 받는다. 수련하는 자는 절대로 자만해서는 안 되고 겸손함으로 가르침을 받아야 한다. 제대로 무엇을 배우기 위해서는 좋은 스승을 만나야 한다는 만고불변의 법칙이다. 가끔 세상이 감당 못하는 천재가 나오기는 하지만 그렇지 않은 일반인의 경우 원하는 것을 가르쳐 줄 수 있는 스승이 필요하다. 또한 좋은 스승은 진솔함과 겸손함으로 찾아야만 한다. 그래야 바른 가르침을 받을 수 있는 것이다. 좋은 스승을 찾기 위한 노력을 게을리 하지 말아야 한다.

예나 지금이나 변하지 않는 것이 있다면 바로 공부하는 것이다. 본능적으로 생존을 위해 학습되는 것 말고 우리의 삶을 윤택하게 하기 위해 배우는 것은 인간이기에 가능하다. 수천 년간 내려온 수련방법이 우리에게 유익한 것은 그 추구하는 근본이 같기 때문이다. 그것이 무술이든 현재 우리가 배우고자 어떤 주제이든 간에.

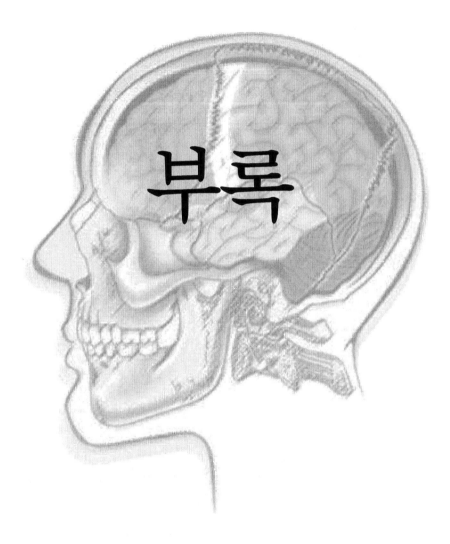

부록

CranioSacral Healing Technique Unleashed
Understanding the Healing Protocols and Application of the CST

부록 A. 치유프로세스

　10-step은 치유 편의상 가장 많이 사용하고 가장 효율적인 치유 프로세스를 제시한 것이다. 가장 많이 알려진 것이 업플레져스타일의 10-step이다. 하지만 굳이 이것을 따라 할 필요는 없으며 필요에 따른 치유 세션을 만들면 된다. 가장 근간이 되는 치유틀healing frame은 다음과 같다.

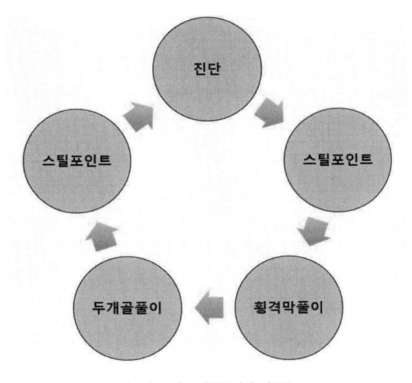

[그림 A-1] 두개천골기법 치유틀

　다양한 진단법을 사용하여 진단을 하여 어떻게 치유 세션을 가져갈 것인지 우선 결정한다. 그 후 스틸포인트로 안정을 취하게 하고 횡격막풀이와 두개골풀이를 하고 스틸포인트로 마무리한다. 물론 진단을 다시 하여 치유결과를 확인하는 것도 바람직하다. 스틸포인트는 다리나 두개골에서 주로 행한다. 두개골에서는 CV4나 EV4를 사용하면 된다. 횡격막 풀이의 경우 무릎, 골반, 호흡, 흉곽과 설골을 중심으로 풀고 발바닥은 보통 생략한다. 두개골 풀이에서는 우선 후두기저풀이(OA풀이)로 시작하여 전두골, 두정골, 측두골, 접형골, 턱관절을 푼다. 그 후 스틸포인트로 마무리하고 효과를 확인한다.

표에서 보이듯이 업플레져는 다음과 같은 방식으로 10-step을 구성한다.

1. 스틸포인트
2. 횡경막 풀기
3. 전두골 들어올리기
4. 두정골 들어올리기
5. 접형후두저 압박-감압
6. 측두골 기법
7. 측두골 감압(귀 잡아당기기)
8. 턱관절 압박 및 감압
9. 경막관 평가
10. 스틸포인트

비고	CST Healing Frame	업플레져 10-Step
진단	다양한 진단 및 근육테스트	리스닝 스테이션 위주
스틸포인트	스틸포인트(다리)	스틸포인트(다리 또는 머리)
횡격막풀이	무릎 골반횡격막 호흡횡격막 흉곽출입구 견갑부(상부흉추부) 설골/턱밑	골반횡격막 호흡횡격막 흉곽출입구 설골 OA풀이
두개골풀이	OA풀이 전두골풀이 두정골풀이 접형골풀이 측두골풀이(소뇌천막풀이) 턱관절풀이	전두골 들어올리기 두정골 들어올리기 접형후두저 압박-가압 측두골 기법 측두골 감압 턱관절 압박-가압
경막관 평가	천골분리 *척추분절풀이를 적용해도 무방하나 소요시간상 다른 기법들을 접목시킨다. (ie: CSIT, CSHT, ICS 등)	경막관 평가 천골분리 척추분절풀이 두개천골 흔들기 두개천골활주
스틸포인트	스틸포인트(머리)	스틸포인트(머리)
진단	다양한 진단 및 근육테스트로 확인	리스닝 스테이션 위주 확인

[표 A-1] 치유프로세스 풀이비교

이러한 프로세스는 세부프로세스가 또 있으며 하나씩 다 나열을
하면 기법을 어떻게 구분하는 가에 따라 20개가 넘는 단계가 나올

수 있다. 업플레져는 이 기본단계를 CST1로 명명하고 접형골과 기타 구강 작업을 CST2로 명명하지만 CST1만 제대로 하여도 건강한 삶을 유지하거나 치유하기에 부족하지 않다. 세부 단계보다는 큰 틀에서 벗어나지 않는 것이 중요하다. 물론 세부프로세스도 따르면 바람직하지만 필요에 따라 설골풀이 후 접형골풀이를 하는 등 다양한 치유프로세스를 적용할 수 있다. 안면골풀이 또한 두개정골의학에 적용시킬 수 있다. 안면골에서도 다양한 작업을 할 수 있기 때문이다. 업플레져 스타일 외에도 접형골을 직접 자극하는 다양하고 간단한 고급 기법들이 있다. 청소년의 경우 두개천골기법을 다 적용하지 않고 스틸포인트만 해주어도 집중력 향상 및 면역성 증가 등 아주 좋은 효과를 볼 수 있다.

부록 B. 뇌막 만들기

Note: 뇌막 만들기는 상호긴장막구조에 대한 이해를 높이기 위해 도식화된 것으로 해부학적으로 정확하지 않다. 다음 4 페이지를 복사하여 잘라서 만들어 보면서 주요 뇌막 구조를 익혀보도록 한다.

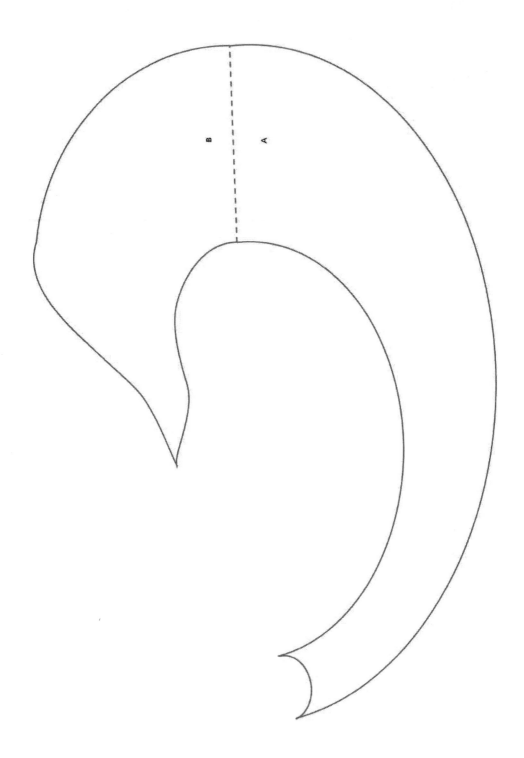

B   A

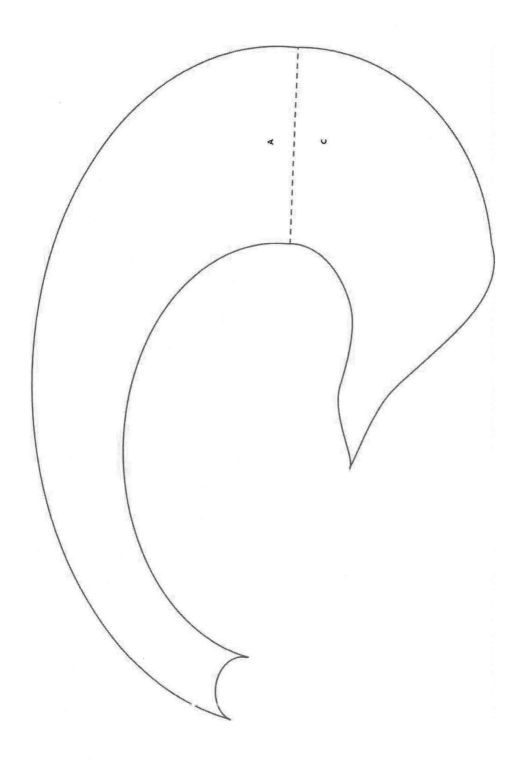

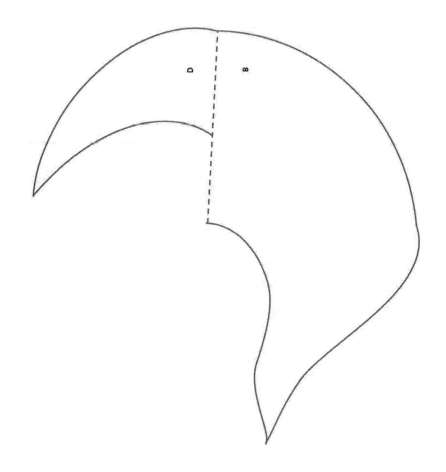

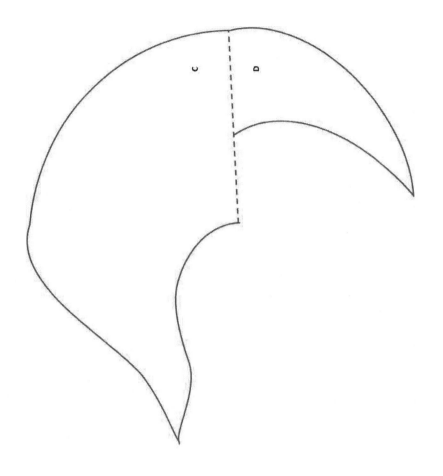

참고문헌

Andrew T. Still, "Philosophy of Osteopathy", the American Academy of Osteopathy; 1995

Andrew Weil, "Spontaneous Healing", Ballantine Books; 1995

Benjamin A. Rifkin, Michael J. Ackerman, Judith Folkenberg, "Human Anatomy", Abrams; 2006

Bob Fowke, "Living Things", Scholastic Ltd; 1997

Conrad A. Speece, William Thomas Crow, Steven L. Simmons, "Ligamentous Articular Strain",
    Eastland Press; 2001

Eric P. Widmaier, Hershel Raff, Kevin T. Strang, "Vander's Human Physiology", 10th Edition
    McGraw-Hill;2008

Hollis King, "Research in Support of the Cranial Concept", Osteopahtic Research Center; 2009

Ida P. Rolf, "Rolfing", Healing Arts Press; 1989

Jean-Pierre Barral, Pierre Mercier, "Visceral Manipulation I", English Language Edition, Eastland
    Press; 2005

Jean-Pierre Barral, "Visceral Manipulation II", English Language Edition, Eastland Press; 2007

Jean-Pierre Barral, Alain Croibier, "Trauma, An Osteopathic Approach", Eastland Press; 1999

Jean-Pierre Barral, "Understanding the Message of Your Body", North Atlantic Books; 2007

Keith L. Moore, Arthur F. Dalley, Anne M. R. Agur, "Clinically Oriented Anatomy", 6th Edition,
    International Edition, Lippincott Williams & Wilkins;2006

Margit Grill, "Comparison between CV4 and EV4 via Biofeedback-measurement", Masters
    Thesis; 2006

Marinanne Neighbors, Ruth Tannehill-Jones, "Human Diseases," 2nd Edition, Thomson
    Learning;2006

Michael J. Shea, "Biodynamic Craniosacral Therapy, Volume1", North Atlantic Books; 2007

Michael J. Shea, "Biodynamic Craniosacral Therapy, Volume2", North Atlantic Books; 2007

Michael J. Shea, "Biodynamic Craniosacral Therapy, Volume3", North Atlantic Books; 2007

Rafeeque A. Bhadelia, Andrew R. Bogdan, Samuel M. Wolpert, "Analysis of Cerebrospinal
    FluidWaveforms with Gated Phase-Contrast MR Velocity Measurements", American
    Society of Neuroradiaology; 1994

Rollin E. Becker, "The Stillness of Life", Stillness Press; 2000

Robert O. Becker, Gray Selden, "The Body Electric", 1985

Stephanie Marohn, "The Natural Medicine Guide to Autism", Hampton Roads; 2002

Thomas W., Myers, "Anatomy Trains", Churchill Livingstone; 2001

Torsten Liem, "Cranial Osteopathy Principles and Practice, 2ndEd.",Elsevier Chuchhill
    Livingstone;2004

William Garner Sutherland, "Teachings in the Science of Osteopathy", Sutherland Cranial
    Teaching Foundation, Inc; 2009

강신성, 안태인 외 역, "인체생리학", 지코사이언스; 2008

고재승 외 역, "인체발생학" 정문각; 1998

대한 Craniopathy 학회 외 역, "임상의를 위한 두개골 정골의학 생체역학, 병리역학과 진단학",
    메디안북; 2010

대한척추교정치료학회 역, "정골의학 도수치료기법의 완성", 영문출판사; 2008

데이비드 월터, 이승원, 윤승일 옮김 "응용근신경학", 대성의학사; 2000

로버트 루트번스타인, 미셀르트번스타인, 박종성 옮김, "생각의 탄생", 에코의서재; 2007

박경한 외 역, "간추린 발생학", 이퍼블릭; 2006

박문호, "뇌, 생각의 출현", 휴머니스트 출판그룹; 2008

박찬후, "SOT-Applied Sacro-Occipital Technique", 대경북스; 2008

윤호 역, "뇌단", 군자출판사; 2009

이승원, 윤승일 역, "응용근신경학", 대성의학사; 2000

이주강 역, "두개천골치료법 I, II 합본", 척추신경추나의학회; 2006

이주강 역, "두개천골치료의 이론과 실제", 대학서림, 2003

최훈, 이재동, "그림으로 보는 경혈과 통증유발점", 군자출판사; 2010

테트레프 간텐, 틸로슈팔, 토마스 다이히만, 조경수 옮김, "우리 몸은 석기시대", 중앙북스; 2011

한국기능도수치료학회 역, "근골격계 Palpation Road Map", 이퍼블릭; 2008

색인